O evangelho acima de tudo

O evangelho acima de tudo

A verdadeira fonte para a renovação da igreja

J. D. GREEAR

Traduzido por Cecília Eller

Copyright © 2019 por J. D. Greear
Publicado originalmente por B&H Publishing, Nashville, Tennessee, EUA.

Os textos bíblicos foram extraídos da *Nova Versão Transformadora* (NVT), da Tyndale House Foundation, salvo as seguintes indicações: *Nova Almeida Atualizada* (NAA), da Sociedade Bíblica Internacional; e *Versão Fácil de Ler* (VFL), da Bible League International.

Todos os direitos reservados e protegidos pela Lei 9.610, de 19/02/1998.

É expressamente proibida a reprodução total ou parcial deste livro, por quaisquer meios (eletrônicos, mecânicos, fotográficos, gravação e outros), sem prévia autorização, por escrito, da editora.

Edição
Daniel Faria

Revisão
Natália Custódio

Produção
Felipe Marques

Diagramação
Marina Timm

Colaboração
Ana Luiza Ferreira

Capa
Jonatas Belan

CIP-Brasil. Catalogação na publicação
Sindicato Nacional dos Editores de Livros, RJ

G829e

    Greear, J. D.
       O evangelho acima de tudo : a verdadeira fonte para a renovação da igreja / J. D. Greear ; tradução Cecília Eller. - 1. ed. - São Paulo : Mundo Cristão, 2022.
       272 p.

       Tradução de: Above all
       ISBN 978-65-5988-048-5

       1. Vida espiritual - Cristianismo. 2. Bíblia. N.T. Evangelhos - Crítica e interpretação. 3. Evangelismo. I. Eller, Cecília. II. Título.

21-74103

                  CDD: 269.2
                  CDU: 2-766

Meri Gleice Rodrigues de Souza - Bibliotecária - CRB-7/6439

Categoria: Espiritualidade
1ª edição: fevereiro de 2022

Publicado no Brasil com todos os direitos reservados por:

Editora Mundo Cristão
Rua Antônio Carlos Tacconi, 69
São Paulo, SP, Brasil
CEP 04810-020
Telefone: (11) 2127-4147
www.mundocristao.com.br

*Aos 1.102 plantadores de igrejas e missionários
em terras estrangeiras ligados à Summit
Network que puseram de lado o próprio conforto
e deixaram seu lar porque acreditam que o
evangelho está, de fato, acima de tudo.*

Sumário

....

Agradecimentos	9
1. O evangelho acima de tudo	13
2. A mudança do evangelho	37
3. A missão do evangelho	63
4. A multiplicação do evangelho	97
5. A esperança do evangelho	125
6. A graça do evangelho	151
7. O evangelho acima da minha cultura	179
8. O evangelho acima das minhas preferências	207
9. O evangelho acima da minha política	231
Conclusão: A vitória do evangelho	259
Notas	265

Agradecimentos

....

É lamentável que somente um nome apareça na capa da maioria dos livros. Qualquer um que já tenha escrito um livro sabe que se trata de um esforço em equipe. Essa realidade nunca foi tão verdadeira quanto no caso do livro que você tem em mãos.

Chris Pappalardo, editor da Summit, brinca há tanto tempo comigo que seu papel é me fazer soar como a melhor versão de mim mesmo que até eu comecei a dizer isso. A essa altura, creio que nenhum dos dois está brincando. Eu nem gosto de mim sem ele mais. Toda a energia da época em que era membro da torcida organizada do time de basquete da Universidade Duke ele canaliza para tornar o evangelho claro e acessível.

Todd Unzicker tem sido pioneiro na defesa dessas ideias dentro da Convenção Batista do Sul. Fico absolutamente impressionado pelo número de pessoas com quem ele já conversou para transformar o "evangelho acima de tudo" em nosso grande lema. Enquanto lidero a Convenção, também sou liderado por Todd.

Jonathan Edwards — não o puritano — deu seu toque editorial tanto à arte quanto ao conteúdo deste livro. Não conheço ninguém mais com tamanha excelência nessas duas áreas quanto ele. Se existe vida ou beleza nestas páginas, sem dúvida você encontra as digitais de Jonathan.

Na última hora, Katelyn Byram e Daniel Riggs me ajudaram a encontrar aquelas citações difíceis, escorregadias demais para minha memória de meia-idade rastrear. "Certa vez ouvi dizer" se transformava em uma nota de rodapé com referência bibliográfica. Se algo ainda estiver faltando, a responsabilidade é toda minha.

Dana Leach é diretora do Ministério J. D. Greear há mais de dois anos. Mas confio tanto na liderança dela que parece fazer vinte. Peço a Deus que nos dê no mínimo mais vinte anos (*de verdade*, não apenas em sensação).

Falando de nosso ministério, Michael Jongkind e Katie Persinger foram indispensáveis durante sua fase inicial e mantiveram tudo em estável funcionamento desde então. Eu já teria afundado esse barco umas cinco vezes sem eles.

Aly Rand, minha assistente executiva com sotaque de New Jersey, tem um fichário grande com o título: "Como administrar a vida de J. D.". Não estou brincando! Ela não sabe como eu descobri. E Aly administra mesmo! Tenho a convicção de que, contanto que ela esteja no leme, eu poderia desaparecer por uns dois ou três meses antes que a igreja notasse. Mas se Aly sumisse por alguns minutos, tudo imploriria.

Devin Maddox, Taylor Combs e a equipe da B&H pressionaram mais do que eu para que estas ideias fossem para o papel e, ao longo do processo, continuaram a ser aqueles que mais acreditaram neste livro. Não dá para imaginar uma equipe editorial mais incentivadora.

Por fim, eu seria remisso se deixasse de mencionar minha esposa, Veronica, que me dá de maneira consistente o maior presente que um escritor pode receber: um lembrete de que a vida real é mais importante. Ninguém me vê mais como herói do que Veronica, mas, ao mesmo tempo, ninguém fica menos impressionado com o fato de que eu escrevo livros. Que Deus conceda a todos uma bênção como essa. E meus quatro filhos, Kharis, Allie, Ryah e Adon, são maravilhosos. Eles amam as ideias deste livro e me animaram a escrevê-las mais do que ninguém. Amo vocês, turma!

Oração do evangelho

Porque eu estou em Cristo...
1. Nada do que fiz pode te fazer me amar menos, e nada do que eu fizer poderá te fazer me amar mais.
2. És tudo de que necessito para a felicidade eterna.
3. Assim como foste para mim, eu serei para os outros.
4. Oro de acordo com a compaixão que demonstraste na cruz e com o poder que revelaste na ressurreição.

1

O evangelho acima de tudo

....

O cristianismo embasado na Bíblia está morto.

Pelo menos é nisso que a sociedade quer que você acredite.

As igrejas estão fechando as portas. Os evangélicos estão abandonando a fé. A onda daqueles que não se identificam com religião nenhuma está crescendo.

A água bateu no pescoço? O movimento cristão acabou? Os cristãos deveriam repensar suas convicções?

Parece que a mudança é a única opção.

Não podemos ter a esperança de alcançar a próxima geração com nossas desgastadas e ruidosas doutrinas bíblicas em relação ao pecado, à exclusividade de Cristo e a nossos conceitos "arcaicos" sobre casamento e sexualidade.

É mudar ou aceitar a irrelevância.

E, olhando ao redor, parece que vários cristãos entenderam a mensagem. Muitos desistiram de se apegar a suas convicções cristãs históricas.

Deus realmente acha isso sobre o casamento?

É mesmo possível crer na Bíblia?

A igreja é assim tão importante?

Aqueles que não abriram mão de suas crenças relegam a própria vida às sombras. Estão encurvados. Isolados. Protegidos. Lutando para manter a si mesmos e seus filhos livres da infecção da cultura que os espreita. Não oram mais para que Cristo os use a fim de virar seu mundo de cabeça para baixo, como fez Pedro naquela era áurea repleta de otimismo.

14 O EVANGELHO ACIMA DE TUDO

Sem chance! Pedro não precisava lidar com a mídia secular. Nem com Hollywood. Tampouco com a agenda LGBT.

Em vez disso, oram pedindo que Deus volte depressa e os salve do mal ao redor para que seus problemas fiquem para trás. Não saem muito de casa para se relacionar com os vizinhos que necessitam de salvação, mas sem dúvida fazem campanha durante o período de eleições. Essa é nossa situação.

Se você for a essas igrejas e perguntar a seus membros fiéis como uma pessoa pode ser salva, provavelmente ouvirá uma resposta biblicamente confiável. Eles conhecem a resposta ensinada na escola dominical: Jesus. Se pedir que expliquem o que é o evangelho, deve receber outra resposta correta. Isso torna as coisas bem interessantes, porque eu creio que aquilo de que a igreja — você e eu — mais necessita na atualidade é recuperar *o evangelho*.

Mas como a recuperação de algo que já conhecemos nos levará a lugares em que jamais estivemos? Afinal, a definição proverbial de loucura não é fazer as mesmas coisas esperando resultados diferentes? Por essa razão, somos tentados a achar que precisamos de algo novo. Necessitamos de mudança, de um método diferente.

> Como a recuperação de algo que já conhecemos nos levará a lugares em que jamais estivemos?

A real questão não seria a falta de domínio dos novos meios de comunicação em nossa era hipertecnológica? Ou a necessidade de atualização de nossa política para nos encaixarmos no século 21?

Talvez o problema seja uma crise de liderança. Afinal, tudo prospera ou é arruinado por causa da liderança! Se os seminários ensinassem os pastores a ser líderes melhores, a se cercar de uma equipe que supra seus pontos fracos, a entrar mais em contato com a cultura, a entender e usar seu número do enea-grama, nossas igrejas voltariam a crescer. Certo?

Pode até ser.

Mas que tipo de crescimento seria esse?

Todas essas questões são importantes e merecem ser deba-tidas, é claro. Mas argumento que nossa *real* necessidade não é de algo novo.

Jesus disse que o evangelho — o evento de Deus Filho vir a este mundo, viver a vida que deveríamos viver, morrer a morte que fomos condenados a morrer, e ressuscitar dos mor-tos para derrotar o pecado e a morte e oferecer à humanidade um caminho a Deus por intermédio de seu sacrifício — con-tém tamanho poder que nem as portas do inferno seriam ca-pazes de resistir a seu avanço.

Pense nisto: *O evangelho é a única coisa no Novo Testamento, além do próprio Jesus, que é chamada diretamente de poder de Deus.*

Nada *contém* o poder de Deus.

Nada *canaliza* o poder de Deus.

O evangelho *é*, em si mesmo, o poder de Deus em sua forma bruta, incontrolável e vencedora da morte.

O apóstolo Paulo explica em sua carta aos romanos que o evangelho é o poder de Deus para a salvação de todo aquele que crê (Rm 1.16).

Quando a dinamite foi inventada no século 18, seu nome foi derivado do termo grego que Paulo usa em Romanos 1 para poder — *dunamis*.

Paulo, é claro, não sabia nada sobre dinamite, mas acredito que continua a ser uma boa imagem para usar quando pensa-mos no evangelho. O evangelho é o poder de Deus para criar, re-dimir, curar e trazer os mortos de volta. Não nos dá vislumbres de uma técnica nova ou superior. É poder bruto e explosivo.

16 O EVANGELHO ACIMA DE TUDO

Meu pai me contou que, quando era garoto, uma das piores surras que levou foi quando entrou no depósito da empresa em que meu avô trabalhava e pegou "emprestado" um pouco de dinamite, pois queria pescar.

(Sei que isso levanta muitas dúvidas. Basta dizer que temos a sorte de meu pai ainda estar vivo.)

Por ser menino, meu pai não entendia bem quais eram os riscos, mas sabia algo sobre poder. Papai contou que pescar era muito mais fácil com dinamite. Era só jogá-lo no lago, esperar a explosão e observar os peixes inertes subirem até a superfície.

Era assim que se pescava no oeste da Carolina do Norte.

(Papai leu este capítulo e me pediu para deixar claro que ele não apoia mais esse tipo de prática.)

Uma banana de dinamite não lhe dá instruções sobre novas formas de pescar, nem diz quais são os melhores lugares para jogar o anzol; *é* o poder que faz todo o trabalho. De maneira semelhante, o evangelho não lhe dá instruções de como mudar; ele próprio é o poder para a mudança.

É desse poder que a igreja necessita.

E a pergunta mais importante que se apresenta diante de nós é: Como devolver o evangelho a seu lugar de direito dentro da igreja?

O evangelho é mais importante do que nossos programas.

O evangelho é mais importante do que nossas preferências.

O evangelho é mais importante do que nossas prioridades.

O evangelho é mais importante do que nossas políticas.

O evangelho é mais importante do que _____.

Não importa como você preencher a lacuna, o evangelho é e sempre será mais importante!

Se você está lendo este livro, meu palpite é que você crê no evangelho. Você acredita que Deus é santo, glorioso e digno, e que você é pecador. Você crê no que Jesus fez por você. Mas, assim como muitos cristãos, no que diz respeito à busca de uma *vida* plena, você crê em outras coisas também. O evangelho é uma alternativa entre muitas.

A realidade é a seguinte: se o evangelho não está acima de tudo, perde seu poder para nos transformar, transformar nossa família, nosso bairro, nosso ambiente de trabalho e nosso mundo. Aliás, se o evangelho não está acima de todas as outras coisas, *nem evangelho ele é mais.*

Necessitamos do poder do evangelho — o poder bruto de Deus — para transformar cada área de nossa vida. E então nossas comunidades e igrejas.

Permita-me dar uma rápida palavra de ânimo aos pastores e funcionários de igrejas que estiverem lendo. Quando o evangelho está acima de tudo em nossas igrejas, elas prosperam. O poder de Deus no evangelho é tamanho que compensa nossas muitas carências

> Se o evangelho não está acima de tudo, perde seu poder.

— o orçamento baixo, as deficiências na liderança, a falta de alinhamento no ministério, nossos erros políticos e nossas falhas estratégicas. Mas quando o evangelho *não* está acima de tudo — quando nosso foco está dividido e nossa prioridade se volta para outras áreas —, a especialidade em todas essas coisas não fará muita diferença.

Aquilo de que a igreja precisa agora é o mesmo de que sempre necessitou: um retorno ao evangelho. Não se trata de nostalgia de uma era passada. Não estou, nas palavras de um sábio, "sacrificando o futuro em busca do passado", nem tentando tornar algo grandioso novamente. O que busco fazer é mostrar que a única maneira de salvar o futuro é voltando exatamente aos primórdios.

A intenção deste livro é analisar de forma pungente como coisas secundárias — muitas vezes, coisas boas e até mesmo necessárias — têm tomado o lugar do evangelho como *o foco principal* na vida da igreja.

Martinho Lutero fez a célebre declaração de que, na vida cristã, progredir sempre significa começar de novo. Se realmente desejamos progredir em nossa missão, necessitamos começar de novo com o evangelho. Precisamos voltar ao início. Ao lugar no qual vimos primeiro a glória da graça, da misericórdia e do amor de Deus. Ao lugar no qual Jesus nos deu humildade, salvação e nova vida.

Não importa o que você já escutou antes, o sucesso não se encontra em estar do lado certo da história. O verdadeiro sucesso — sucesso que nunca falha, nem acaba — reside em estar do lado certo do evangelho. O poder não se encontra no brilhantismo de uma nova estratégia, mas no vazio de uma antiga tumba.

O que é *o evangelho*?

A palavra tem sido usada de forma tão comum há tanto tempo que acaba praticamente perdendo seu significado.

Existe a pregação focada no evangelho, a escola dominical focada no evangelho, o louvor focado no evangelho, a poda de árvores focada no evangelho. Ok, um desses eu acabei de inventar. (Talvez...) Mas "o evangelho" se transformou em um atalho para tudo aquilo que é importante para nós no cristianismo no momento. Também virou um rótulo para grudar nas coisas e garantir a quem chega que nossa igreja é descolada, contemporânea e teologicamente certificada. Mas isso é tudo que o evangelho se tornou?

Um rótulo?

O que significa o evangelho funcionar como o poder de Deus em nossas igrejas? Se o evangelho verdadeiramente é o poder bruto de Deus, é melhor colocá-lo no lugar certo.

Depois de declarar para os romanos que a mensagem do evangelho é o poder de Deus, Paulo passa dez capítulos explicando como o evangelho funciona. Podemos resumir os capítulos de Paulo dizendo que o evangelho significa as boas-novas de que:

Estávamos mortos em nossas transgressões e em nossos pecados.

A religião não pôde nos ajudar.

Novas resoluções de mudança não puderam nos ajudar.

Jesus, o bebê nascido de uma virgem em Belém, era o Filho de Deus.

Ele fez o que não tínhamos condições de fazer: viveu uma vida justa que agradou a Deus.

Ainda assim, foi crucificado em uma cruz sob a maldição do pecado.

Ele fez isso por nós.

Ele morreu em nosso lugar.

Mas Jesus ressuscitou da sepultura para nos oferecer nova vida em seu Espírito.

Jesus dá essa nova vida a todos que o invocam pela fé.

A beleza do evangelho é que aqueles que confiam em Jesus jamais temerão se alienar de Deus novamente. Em Cristo, você está seguro. Em Cristo, você é amado. Em Cristo, você é pleno. Em Cristo, você é escolhido. Em Cristo, você é puro. "Agora, portanto, já não há nenhuma condenação para os que estão em Cristo Jesus" (Rm 8.1).

E agora Cristo nos redimiu para uma vida de amor e serviço na qual podemos refletir aos outros o que ele fez em nós.

Paulo afirma que tão somente crer nisso libera em nós o poder de Deus para fazê-lo. O apóstolo conta para os romanos que a renovação da mente nessa mensagem transforma pessoas comuns e pecadoras no tipo de ser humano capaz de cumprir a vontade de Deus (Rm 12.1-2).

Em suas cartas aos coríntios, Paulo diz que o poder inerente ao evangelho significa que não há nada mais importante a se falar na igreja do que dele. O evangelho está, literalmente, no primeiro lugar. É primário (1Co 15.3-4).

Paulo chega ao ponto de dizer que não há nada mais importante para sua igreja saber. Cristo e Cristo crucificado é o que basta (1Co 2.2). Ele diz a Tito, seu jovem aprendiz, que o evangelho da graça de Deus não só concede perdão, mas também todo o poder de que os cristãos necessitam para viver de maneira piedosa neste mundo (Tt 2.11-12). Crer no evangelho não é apenas a forma de ser liberto da *pena* do pecado, mas também de seu *poder*.

Por causa do poder sem precedentes do evangelho, não se trata de algo que os autores bíblicos esperam que aprendamos em Romanos e depois deixemos para trás. Ele contém todo o necessário para o sucesso na vida cristã.

Não é uma mera matéria para iniciantes em uma faculdade de quatro anos em cristianismo.

Não é o mero trampolim de onde pulamos para dentro da piscina do cristianismo.

Não é apenas o leite que nos alimenta até estarmos maduros o bastante para comer carne.

O evangelho *é* a carne.

E a sobremesa também, se você quer saber.

Muito mais que a matéria introdutória ao cristianismo, o evangelho é o *campus* inteiro onde as aulas são dadas.

Muito mais que o trampolim, é a piscina inteira.

A maneira de crescer em Cristo é a mesma de começar em Cristo: fé na obra consumada e no túmulo vazio. Progredir sempre significa começar de novo.

Pedro explica que o evangelho é tão profundo que os anjos, que cercam o trono de Deus todos os dias, só captam um vislumbre dele (2Pe 1.11-12). Não deve ser fácil impressionar um anjo! Eles entendem mais de teologia do que nós conseguiremos ao longo de uma vida inteira. Têm lugar cativo na primeira fileira para observar o poder criador extraordinário de Deus, que colocou bilhões de estrelas no espaço. Viram Deus abrir o mar Vermelho e encher a boca da jumenta de Balaão de palavras e frases. Eles próprios são tão poderosos que um mero olhar transforma o ser humano mais forte em uma poça lamacenta de medo. No entanto, esses anjos ainda ficam estarrecidos diante da simples mensagem do evangelho. O que mais desejam é se aprofundar cada vez mais nela.

> A beleza do evangelho é infindável porque a beleza de Deus é infindável.

A beleza do evangelho é infindável porque a beleza de Deus é infindável.

Isso quer dizer que onde quer que você esteja em sua jornada com Cristo — em dúvida de que Jesus realmente é quem alega ser, ou convicto do poder do evangelho há setenta anos — você só está começando. E a ótima notícia para cada um de nós é que, conforme disse Pedro, no evangelho estão embutidos todos os recursos de que você necessita para se tornar quem Deus quer que você seja (2Pe 1.3).

O mais trágico é que muitos cristãos se afastaram dele.

Certa vez, fui a um congresso no qual o orador antes de mim explicou que a igreja já havia ouvido demais sobre a morte de Jesus. Ele disse (e eu anotei palavra por palavra, porque não conseguia acreditar): "Precisamos parar de falar tanto sobre a morte de Jesus. Todo mundo já está de saco cheio de saber disso! Agora temos de falar sobre sua vida".

O apóstolo Paulo jamais disse algo do tipo. E não só porque evitava expressões vulgares como "saco cheio". Nada disso: Paulo sabia que a única maneira de entender a vida de Jesus e nos apropriar de seu poder em nossa vida é nos apoiando mais plena e profundamente em sua morte.

Uma breve observação: o que fazer quando você é um orador convidado e o palestrante anterior fala algo desse tipo? Em geral, prefiro honrar o papel de "convidado" e deixar o anfitrião do evento responder a Deus por aquilo que foi dito.

Em geral.

Mas, ao se tratar de uma questão de tamanha importância — *a* questão mais importante de todas —, precisei me colocar no ringue. "Com todo respeito, eu incentivo você a nunca fazer aquilo que o orador anterior acabou de fazer."

Sim. Eu fiz isso.

E o clima ficou tão desconfortável quanto você possa imaginar.

Valeu a pena.

Mais do que apenas "Deus ama você"

Há anos não estou mais na escola, mas ainda tenho pesadelos sobre estar despreparado para uma prova final, apenas para chegar à sala de aula e descobrir que *aquele* exame determinará 80% da minha nota e eu havia me esquecido dele completamente.

Imagine comigo: seu professor anuncia que a prova final é escrever uma redação identificando os três tipos diferentes de isótopos e explicando as diferentes qualidades eletromagnéticas que os distingue. O problema é que você não faz a menor ideia do que ele está falando — você fica se perguntando se o isótopo é algum parente distante do hipopótamo.

Uma hora e meia depois, você caminha solitário até a mesa do professor na frente da grande sala de aula. Entrega o papel que contém sua redação fracassada.

Mas algo acontece.

Assim que seus parágrafos sem sentido estão prestes a se empilhar em cima das outras provas, um colega de classe que você não conhece estende a mão, pega seu exame, apaga seu nome e escreve o nome dele. Em seguida, escreve o *seu* nome na prova *dele*. E devolve ambos.

Chegam as notas.

Você passa.

Ele reprova.

Você recebe o crédito pelo trabalho dele, e ele assume a culpa pelo seu.

Eu sei que ninguém tem permissão para fazer isso de verdade na faculdade, mas é uma boa imagem do que Jesus fez por nós ao longo dos 33 anos que passou neste mundo. Ele viveu a vida que você deveria viver e então apagou o nome dele para escrever o seu. Ele morreu a morte que você estava condenado a morrer, apagando seu nome e escrevendo o dele. A obediência dele cobre o que você não poderia fazer e nunca fez. A recompensa dele chega para você. Seu castigo vai para ele. É isso que os teólogos cristãos chamam de a Grande Troca.

O evangelho não é apenas a mensagem de um Deus que ama você. É claro que ele ama. Se não amasse, não haveria evangelho. Mas ele mostra o comprimento, a largura e a altura de seu amor por meio da beleza da *substituição*.

Não se esqueça dessa palavra. Ela é vital para o evangelho, pois, sem substituição, não haveria evangelho.

Na Summit Church na Carolina do Norte, que tenho o privilégio de pastorear há duas décadas, resumimos o evangelho nestas quatro palavras:

Jesus em meu lugar.

Você pode pensar em Jesus da seguinte forma: ele não morreu apenas *por* você, mas, sim, *em seu lugar*. Ele sofreu a *sua* maldição para que você pudesse herdar a justiça *dele* (Gl 3.13). Ele foi revestido de vergonha para que você se assentasse em um lugar de honra (Hb 12.2). Ele foi derrubado para que você fosse exaltado (Is 53.3-4). O Pai virou o rosto contra Jesus a fim de voltar a face para sua direção (Mt 27.46). Ele viveu o que você deveria viver e morreu a morte à qual você fora condenado a fim de que você recebesse a recompensa que ele mereceu — vida eterna na presença de Deus (Cl 3.4).

O profeta Isaías predisse essa substituição mais de setecentos anos antes que ela acontecesse:

Foram as nossas enfermidades que ele tomou sobre si,
   e foram as nossas doenças que pesaram sobre ele.
Pensamos que seu sofrimento era castigo de Deus,
   castigo por sua culpa.
Mas ele foi ferido por causa de nossa rebeldia
   e esmagado por causa de nossos pecados.
Sofreu o castigo para que fôssemos restaurados
   e recebeu açoites para que fôssemos curados.

Todos nós nos desviamos como ovelhas;
    deixamos os caminhos de Deus para seguir os nossos
        caminhos.
E, no entanto, o Senhor fez cair sobre ele
    os pecados de todos nós.

Isaías 53.4-6

O ato de substituição realizado por Jesus é o que separa o evangelho de Cristo de qualquer outra religião do mundo. Já ouvi dizer que é possível resumir qualquer outra religião do planeta na palavra "faça". *Faça isto. Não faça aquilo. Venha aqui. Diga isto. Toque nisto. Ore assim. Cante assado.* Se você fizer essas coisas com frequência e qualidade suficientes, dizem as outras religiões, Deus o aceitará.

Pelo menos é o que você espera.

O evangelho, em contrapartida, se resume em "feito". Jesus fez tudo que era necessário para nos salvar. Em seus momentos finais na cruz, ele exclamou: "Está feito!". Não: "Eu comecei, agora vocês assumem". Tudo que era preciso *fazer* a fim de salvar já foi *feito.*

Em todas as outras religiões, Deus manda profetas como mestres para ensinar um plano para obter o favor de Deus. No cristianismo, o maior Profeta não é um mero mestre, mas um Salvador que conquistou o favor de Deus para você e lhe dá como presente.

Aproprie-se dessa verdade. Em Cristo, você não precisa trabalhar para agradar a Deus, nem para apaziguar sua ira ou decepção. Aquilo que fazemos é apenas uma resposta grata ao que foi feito por nós e em nosso lugar.

Nossas boas obras fluem da salvação, não consistem em uma busca por ela.

Tim Keller explica da seguinte forma: "Todas as outras religiões ensinam: 'Obedeço, logo sou aceito'. O evangelho declara: 'Sou aceito, logo obedeço'".[1]

Essa é a boa-nova — o poder de Deus no evangelho — que nos salva. Essa boa notícia é mais importante do que qualquer outra coisa, não só porque nos consegue a vida eterna. O evangelho faz muito mais do que isso. O evangelho é a fonte de vida — aqui, agora e no porvir. É, em si mesmo, o poder de Deus.

Por causa disso, deve estar acima de tudo.

A maioria das pessoas que frequentam uma igreja sabe disso, caso você pergunte sobre o evangelho. Elas vão lhe falar sobre substituição e quem sabe até mesmo sobre o "faça" *versus* "feito". É possível até que articulem os conceitos melhor do que eu. Mas isso não quer dizer que o evangelho ocupa o lugar certo em seu coração, em sua vida ou em sua cosmovisão.

Com frequência, os cristãos veem o evangelho apenas como a papinha. O ponto de partida. O rito de iniciação no cristianismo. A oração que fazemos para dar início ao nosso relacionamento com Jesus.

Mas o evangelho *é* a vida cristã! Não é apenas o ABC do cristianismo; é o A-Z. Toda a vida cristã flui da boa-nova daquilo que Jesus fez na cruz. O evangelho é o lugar em que ficamos e do qual nunca nos cansamos. O lugar em que jamais paramos de aprender, crescer e viver.

É por isso que o crescimento em Cristo jamais diz respeito a ir *além* do evangelho, mas, sim, a ir mais fundo *no* evangelho. O evangelho é como um poço. As águas mais puras são encontradas quando se cava mais fundo, não mais largo.

Das 538 variações do Batman que minha geração precisou suportar, para mim, a melhor é a versão de Christopher Nolan no megassucesso de 2005, *Batman Begins*. Nesse filme,

Bruce Wayne cai em um velho poço que parecia estar coberto havia muitos anos. A vegetação ao redor crescera tanto que a abertura do poço estava completamente invisível. Foi somente anos depois que Bruce retornou ao poço. Ali descobriu a entrada para uma ampla caverna subterrânea, com tesouros indizíveis e os segredos para se tornar "o Batman".

Havia muito mais na mansão Wayne do que se podia encontrar acima da terra. Para vivenciar a riqueza plena dos bens da família Wayne, era necessário ir mais fundo.

É assim que devemos tratar o evangelho.

Podemos achar que vemos e entendemos o que está na superfície da mensagem evangélica, mas há muito mais a ser descoberto nas profundezas.

Quanto mais vemos, mais somos transformados. Quanto mais descobrimos, mais vemos. O apóstolo Paulo diz que crescemos espiritualmente à medida que contemplamos a glória de Deus (2Co 3.18). Ao contemplar a glória de Cristo no evangelho, nós nos tornamos mais semelhantes a ele. Crescemos de glória em glória.

Pense em sua jornada com Cristo. Como você se tornou cristão? Você contemplou a glória de Deus nas boas-novas daquilo que Jesus *fez* por você.

E agora, como você, cristão, se torna mais e mais semelhante a Jesus? Continuando a contemplar a glória do Deus que fez essas coisas por você. Acreditando que tudo continua feito.

Assim como fomos *salvos* por acreditar no evangelho e contemplar Jesus com olhos maravilhados, somos *santificados* da mesma maneira. O evangelho nos faz entrar, e é o evangelho que nos conduz o caminho inteiro até o lar.

Por isso, *todos* nós ainda precisamos dele.

E é por isso que ele é mais importante do que qualquer outra coisa.

O mais importante?

Os cristãos evangélicos sempre foram o povo do evangelho, sem sombra de dúvida. Afinal, está em nosso nome. A palavra *evangélico* é uma transliteração do grego. Por isso, nesse sentido, o evangelho sempre foi nossa "marca". Está no coração do cristianismo desde o início. É o que dá vida a nossa fé.

Mas agora parece que somos tentados a procurar renovação e vida em outro lugar.

> Ó [evangélicos] insensatos! Quem os enfeitiçou? [...] Será que perderam o juízo? Tendo começado no Espírito, por que agora procuram tornar-se perfeitos por seus próprios esforços?
>
> Gálatas 3.1,3

Nossa falha em ver renovação não acontece porque nos apegamos tanto ao evangelho que ficamos enferrujados para as técnicas modernas. Em vez disso, ocorre porque nos apegamos tanto às técnicas modernas que ficamos enferrujados para o evangelho. Tiramos o evangelho de sua posição de primazia. Ele deixa de ser supremo. Não é mais nossa primeira prioridade.

Precisamos *retornar* ao evangelho da graça de Deus em Jesus a fim de avançar na missão.

Nenhum de nossos objetivos de crescimento pessoal decolará sem o evangelho. Nenhum de nossos chamados à renovação perdurará se não estiverem alicerçados no evangelho. O fogo para "fazer" na vida cristã só provém de estar mergulhado no combustível do que já foi *feito*.

Uma rápida observação a meus colegas pastores: isso tem de começar no púlpito. Todo sermão precisa estar alicerçado nas boas-novas daquilo que Cristo fez. Charles Spurgeon disse certa vez que, em cada um de seus sermões, ele "jogava a bola" de volta para Jesus. Eu achava que isso queria dizer que devemos fazer um apelo para a aceitação do evangelho ao fim de cada pregação. Mas Spurgeon ia além disso. Ele estava dizendo que a água da vida necessária para fazer tudo que as Escrituras nos ordenam só flui da obra terminada de Cristo. Longe dessa fé, pregamos uma religião sem poder, e nossos apelos por renovação — por mais criativos, inovadores e convincentes que sejam — são tão mortos quanto as tábuas de pedra nas mãos de Moisés. Cada história, cada ordenança e cada princípio das Escrituras deve apontar para a obra terminada de Cristo. Se não fizermos isso, removeremos a *vida* do Livro da Vida.

Uma vez que Jesus afirmou que toda a Bíblia aponta para ele (Lc 24.27), isso não deveria ser difícil para nós. Assim como o objetivo da Bíblia é exaltar o nome de Jesus, o alvo de cada sermão deve ser o mesmo.

Parafraseando D. Martyn Lloyd-Jones, a meta de uma palestra é que as pessoas saiam com *informação*; a meta de um discurso motivacional é que as pessoas saiam com um *plano de ação*; a meta de um sermão é que as pessoas saiam em *adoração*. A pregação do evangelho sempre deve ter como objetivo a adoração que exalta a Cristo.

Quando as pessoas de nossas comunidades pensam e falam sobre nós, devem pensar e falar sobre o evangelho. Esse precisa ser tanto o objetivo final quanto a base de cada ministério e iniciativa de nossas igrejas.

Pense em sua igreja por um instante: qual é o elemento que se destaca nela?

É sobre o evangelho que você sai de lá de dentro falando?

Ou você conversa sobre as reflexões inteligentes do pastor, a ótima banda no louvor, os serviços disponíveis aos visitantes, o imenso órgão de tubos, o cuidado com os pobres, ou a condenação corajosa do pecado? Os outros enxergam sua igreja como um lugar que dá conselhos realmente úteis e práticos sobre a vida? Ou como uma sala de aula com pregações teologicamente sólidas e cheias de conhecimento das línguas originais da Bíblia?

Não há nada de errado com a maioria dessas coisas, mas nenhuma delas é o poder da nova vida. Elas podem ser uma maneira de reagir ao poder de Deus ou de colocá-lo em prática, mas nenhuma é o poder bruto de Deus. De acordo com as Escrituras, somente o evangelho *é* poder.

Fora do evangelho, nossas estratégias engenhosas de mudança de vida carecerão de poder permanente e salvador. Separada do evangelho, nossa bondade aos pobres só tornará as pessoas confortáveis por um tempo antes que pereçam eternamente. Separado do evangelho, o mundo que reformulamos por meio da política será tão mau quanto aquele que tentamos reformar. Separadas do evangelho, as estratégias de autoajuda só nos levarão ao orgulho (se tivermos êxito) ou ao desespero (se falharmos). Afinal, um programa de "Dez passos rumo a um casamento saudável" não transformará seu relacionamento conjugal tanto quanto aprender, entender e meditar sobre os dez *bilhões* de passos que Jesus deu rumo a você.

> Temos um evangelho grande demais e uma missão urgente demais para sermos distraídos por qualquer coisa secundária.

O que isso significa para nós e nossas igrejas? Significa que é possível desencaminhar as pessoas não só ao lhes ensinar coisas erradas, mas também ao atribuir a coisas verdadeiras — coisas boas — proeminência excessiva.

Já falamos sobre a igreja, mas e quanto a você? Qual é o elemento que mais se destaca em sua vida? O que é mais importante para você? Você está desencaminhando outros ao dar ênfase demais ao que não merece?

Nada melhor para o diabo do que nos dividir e distrair com questões secundárias.

Temos um evangelho grande demais e uma missão urgente demais para sermos distraídos por qualquer coisa secundária. Tudo que fazemos na vida e em nossas igrejas deve passar pelo filtro de como cada atividade específica capacita e aprofunda a missão do evangelho.

Acima de tudo: para onde caminha este livro

O que aconteceria se devolvêssemos o evangelho para seu lugar de direito em nossa vida e em nossas igrejas?

Estou convicto de que veríamos uma renovação da presença e do poder de Deus por intermédio deste povo. Foi assim que aconteceu com a nação de Israel. Quando os israelitas se lembravam da bondade de Deus para com o povo, a nação acordava e experimentava a bênção de Deus. Quando se esqueciam, caíam no caos (ver, por exemplo, Dt 4.9; Jz 8.34; Is 65.11).

Esse é o objetivo deste livro — nos ajudar a *lembrar.*

Queremos nos lembrar da grandeza do evangelho de tal maneira que ele assuma *primazia acima de tudo* o mais.

Na prática, ficará da seguinte forma nosso mapa para o restante deste livro:

A mudança do evangelho

O evangelho não será apresentado como mero rito de iniciação em nossa jornada de fé, mas, sim, como o foco da fé de toda a vida cristã. As pessoas não devem sair de nossos cultos de adoração ou estudos bíblicos sobrecarregadas com tudo aquilo que necessitam fazer para Deus, mas, sim, maravilhadas por aquilo que ele fez por elas e pelas promessas do que fará.

A missão do evangelho

Fazer discípulos é a missão central e definidora da igreja. A lista de coisas boas que cristãos e igrejas podem fazer é longa, mas as coisas boas podem nos fazer perder o foco da missão central que Cristo deu a sua igreja: fazer discípulos (Mt 28.18-20). Não deixaremos de fazer as outras coisas, apenas colocaremos todas as outras tarefas a serviço de nossa comissão principal.

A multiplicação do evangelho

O foco de nosso ministério deve ser capacitar membros comuns para se tornarem a ponta da lança do evangelho em suas comunidades. Essa era a característica da igreja primitiva e é uma verdade sempre e em qualquer lugar que vemos a igreja se expandir com rapidez.

A esperança do evangelho

O evangelho produz otimismo eterno. Não do tipo fácil, fantasioso e impulsionado pela personalidade, mas, sim, a convicção enraizada de que os planos de Deus para o mundo são tão esperançosos quanto proclama o túmulo vazio. William Carey afirmou que o futuro é tão empolgante quanto as promessas de Deus. Quando o evangelho está acima de tudo, a esperança e a animação quanto ao futuro definem a igreja, por mais sombrios que os dias pareçam ao nosso redor.

A graça do evangelho

Aqueles que realmente creem no evangelho se tornam como o evangelho. Quando o evangelho está acima de tudo, a generosidade de nosso espírito se equipara à graça da mensagem. Nosso ensino deve apenas explicar em palavras a graça que as pessoas já veem exemplificada em nossa vida. Essa generosidade de espírito não só molda nossa maneira de nos relacionarmos com as pessoas de fora, mas também impacta como tratamos uns os outros.

O evangelho acima da minha cultura

Se o evangelho está acima de tudo, encontramos nele uma unidade maior do que as diversas coisas em nossa experiência pessoal que poderiam nos dividir. Sempre sentimos afinidade natural com as pessoas de nossa própria etnia e cultura, com aqueles cujo contexto é semelhante ao nosso e cujo estilo de vida é parecido com o nosso. Mas o evangelho deve ser maior em nosso coração do que essas coisas, de tal modo que nos sintamos *mais* próximos, *mais profundamente* ligados a cristãos cuja cultura difere da nossa do que a pessoas de nossa cultura que não compartilham de nossa paixão pelo evangelho. Isso deve dar poder à igreja para alcançar uma união entre etnias que nossa sociedade almeja alcançar, mas não consegue.

O evangelho acima das minhas preferências

Quando o evangelho está acima de tudo, sacrificamos voluntariamente nossas preferências em prol da Grande Comissão.

34 O EVANGELHO ACIMA DE TUDO

Assim como Paulo, nossas preferências devem ser camadas de roupa que estamos dispostos a tirar para o bem da Grande Comissão sempre que necessário. A pergunta que levamos para a igreja não é: "Que tipo de igreja eu prefiro?", mas, sim: "Que tipo de ministério alcança melhor as pessoas desta comunidade?".

O evangelho acima da minha política

E quando você já estiver achando o livro polêmico demais, perguntaremos como o evangelho acima de tudo deve transformar nossa abordagem à política. Veremos que, quando o evangelho está acima de tudo, todas as outras agendas — especialmente as de caráter político — assumem um papel secundário. Isso não quer dizer que a política não é importante e que os cristãos não devem se engajar. Tampouco significa que os cristãos devem evitar assuntos controversos e "apenas pregar Jesus". Pelo contrário: com frequência, o evangelho nos compele a nos posicionar. Mas quando o evangelho está acima de tudo, nós o fazemos de uma forma que mantém sua centralidade.

Descobriremos que, quando o evangelho está acima de tudo em nossas igrejas, nós também atrairemos discípulos de diferentes inclinações políticas, assim como fez Jesus. E, ao perceber que isso não está acontecendo, teremos bons motivos para questionar se o evangelho de fato é tão proeminente em nossa igreja quanto pensamos.

Estamos de volta

Nossa cultura pode até acreditar que o cristianismo está com o pé na cova, mas não devemos nos intimidar. Vozes "proféticas" que declaram a ruína iminente de nossa fé não são novas.

Não podemos permitir que a dúvida, as distrações ou o desespero nos afastem da esperança do evangelho e da crença em um Deus que continua a agir.

Porque ele age.

Todavia, se desconectarmos a vida e a fé do evangelho, também nos desconectaremos de Deus e isso significa morte certa.

Anime-se: desde o nascimento de nossa fé, o império diz que os dias dos seguidores de Jesus estão contados. O filósofo francês François-Marie Arouet (1694–1778), mais conhecido por seu pseudônimo Voltaire (embora ele pareça muito menos intimidador com o nome de François-Marie!), fez a célebre predição de que o cristianismo estaria extinto cem anos depois de sua morte. Escreveu que, na década de 1880, "não haverá mais nenhuma Bíblia na face da terra, com exceção da procurada pelo colecionador de antiguidades".

Em tempos mais recentes, a reportagem de capa da revista *Time* de 8 de abril de 1966 fez a famosa pergunta: "Deus está morto?". Presumiram que a resposta era óbvia: se não morto, pelo menos pronto para ir morar no asilo.

Mas aqui estamos nós, mais de 250 anos depois de Voltaire e mais de cinquenta anos depois da capa da *Time*. Não só Deus não está morto, como também sua igreja cresce e seu Espírito se move. Voltaire, em contrapartida, está morto. E embora a revista *Time* continue aos trancos e barrancos, mais de uma vez os investidores já pensaram em colocá-la no asilo.

Paulo escreveu para a igreja de Colossos há dois mil anos incentivando seus membros com a mensagem de que o mesmo evangelho que eles haviam recebido estava se expandindo pelo mundo inteiro e transformando vidas em todos os lugares aonde chegava (Cl 1.6).

Isso continua a ser verdade.

Um amigo meu diz: "Se você ainda não morreu, Deus não acabou a obra dele em sua vida".

Nós não morremos, e Deus não acabou sua obra em nós.

Em 2018, mais pessoas se tornaram cristãs do que em qualquer ano anterior. Mais muçulmanos se converteram ao cristianismo nos últimos quinze anos do que em todos os treze séculos anteriores desde o surgimento do islamismo. O Sul global tem presenciado um aumento notável do cristianismo evangélico no século 21. Há pessoas sendo salvas aos milhares na América do Sul, África e Ásia. Até mesmo no Norte ocidental, onde tem diminuído o número de evangélicos, não estamos testemunhando a morte do verdadeiro cristianismo, mas, sim, do cristianismo cultural, que jamais foi o cristianismo evangélico. E em alguns dos lugares mais difíceis no mundo ocidental, em alguns de seus rincões mais sombrios, a igreja está crescendo. E prosperando.

Não precisamos de outro Salvador.

Não precisamos de outro foco.

Não precisamos de outro poder.

Há somente um nome debaixo do céu entre os homens mediante o qual devemos ser salvos (At 4.12).

Há apenas uma fonte a recorrer em busca do poder de Deus.

Seu nome é Jesus.

A fé em sua obra consumada vence o mundo. Devemos, portanto, fazer a mesma resolução de Paulo, de nada saber além de Cristo e Cristo crucificado, permitindo que o evangelho ocupe o lugar de primazia em cada aspecto de nossa vida.

Ele deve permanecer sempre *acima de tudo*.

Falemos agora então sobre como fazer isso.

2

A mudança do evangelho

....

Você não sabe, jovem, que de cada cidade, vilarejo e até pequeno povoado na Inglaterra, onde quer que fique, sai uma estrada que leva a Londres? [...] Da mesma forma, partindo de cada texto das Escrituras, há uma estrada para a metrópole da Bíblia, que é Cristo. Meu querido irmão, sua tarefa, quando você depara com um texto, é dizer: "Qual é a estrada que leva a Cristo?", e então pregar o sermão percorrendo essa estrada até a grande metrópole, que é Cristo. Jamais encontrei um texto bíblico sem uma estrada para Cristo e, caso ache algum, eu construirei uma rota. Passarei por cima de cercas vivas e valas, mas chegarei até o Mestre.

CHARLES SPURGEON

A maioria de nós não tem medo de ir à igreja.

Talvez você fique um pouco nervoso. Quem sabe se preocupe se seus filhos irão se comportar mal e o farão passar vergonha. Ou teme acabar se sentando ao lado daquela mulher que se recusa a sair com o bebê aos prantos da nave da igreja. Ou que seu pastor faça aquele movimento indesejado de fechar o caderninho e começar a "compartilhar umas coisas" — bem na hora do almoço e do começo do jogo na televisão.

Ou quem sabe você se preocupe se a igreja estará lotada e você precisará parar o carro bem no fim do estacionamento e andar mais de cem metros até o lugar de culto. Na chuva. E o

38 O EVANGELHO ACIMA DE TUDO

irmão Fred que dirige o carrinho de golfe dando carona para as pessoas pode acabar envolvido apenas com os idosos de novo e não conseguir pegar você. Outra vez.

Mas a verdade é que em geral são esses os nossos temores.

Para muitos cristãos ao redor do mundo, porém, não é esse o caso. Sam James, o homem que há 56 anos plantou a igreja que hoje pastoreio, me contou sobre os cultos no Vietnã, onde é missionário há cinco décadas. Lá iniciavam os cultos todos os domingos sem saber se oficiais comunistas invadiriam *de novo* a igreja (ou se levantariam subitamente no meio do programa revelando sua verdadeira identidade) e arrastariam os líderes para a prisão.

De repente, aquela caminhada de cento e poucos metros até a igreja não parece tão longa assim, não é mesmo?

Outro amigo meu lidera uma igreja que se reúne em um lar, em uma região muçulmana da Ásia central. Ele me contou que, em uma época na qual a igreja não estava crescendo, pediu aos membros que escrevessem o nome de cinco pessoas que eles sabiam que precisavam ouvir o evangelho de Jesus. Então pediu que identificassem, naquela lista, o nome da pessoa menos propensa a matá-los caso falassem de Jesus. *Essa* seria a pessoa que orariam para alcançar naquela semana.

Bem, acho que perder o início da partida na televisão não seria o fim do mundo...

Enquanto escrevo este capítulo, chegam relatos de que, na China, tem aumentado a pressão governamental sobre as igrejas evangélicas. Esta notícia veio da *Christianity Today*: "Autoridades de Beijing ameaçaram fechar a Igreja de Sião mês passado depois que a congregação de 1.500 membros [...] se recusou a instalar câmeras de segurança no santuário".[1]

Uma revisão recente nas regulamentações estatais levou à queima de cruzes, substituídas por bandeiras da China, e à obrigação de grupos religiosos removerem as imagens cristãs dos templos. Em alguns casos, policiais e funcionários do governo rastrearam membros e tentaram impedi-los de se reunir. A criança chorando incomoda, mas consigo suportar.

A igreja primitiva começou em meio ao mesmo tipo de hostilidade religiosa e nacional aterrorizante. Ao longo de todo o livro de Atos, vemos tanto os poderes religiosos quanto os seculares tentando restringir a expansão do movimento evangélico de Jesus. Cristo e seus seguidores desencadearam uma revolução vivificadora — mas uma revolução absolutamente indesejada. Os líderes religiosos judeus e os oficiais romanos não concordavam com muita coisa, mas estavam unidos na convicção de suprimir os cristãos, seu evangelho e suas histórias extraordinárias sobre Jesus de Nazaré. Em quase todos os oito primeiros capítulos de Atos ficamos sabendo de tramas para destruir a igreja. E em Atos 8 somos apresentados a um homem chamado Saulo, cuja missão de vida era acabar com a fé em Jesus.

Saulo era implacável.

Ele ia a cada casa da rua e, onde quer que encontrasse cristãos, os arrastava para fora e os lançava na prisão (At 8.3). De fato, Saulo via essa perseguição dos cristãos primitivos como um serviço a Deus:

> Vocês sabem como eu era quando seguia a religião judaica, como perseguia com violência a igreja de Deus. Não media esforços para destruí-la. Superava a muitos dos judeus de minha geração, sendo extremamente zeloso pelas tradições de meus antepassados.
>
> Gálatas 1.13-14

40 O EVANGELHO ACIMA DE TUDO

Leia mais uma vez.

Saulo meditava nas Escrituras e cantava salmos antes de arrombar as portas. Ele chegava a pensar que seu zelo por essa causa lhe dava motivos para se *vangloriar* perante Deus:

Ainda que, se outros pensam ter motivos para confiar nos próprios esforços, eu teria ainda mais! Fui circuncidado com oito dias de vida. Sou israelita de nascimento, da tribo de Benjamim, um verdadeiro hebreu. Era membro dos fariseus, extremamente obediente à lei judaica. Era tão zeloso que persegui a igreja. E, quanto à justiça, cumpria a lei com todo rigor.

Filipenses 3.4-6

Saulo se sentia bem acerca de si mesmo. Até que aconteceu algo que ele não esperava, tampouco imaginava ser possível. Saulo *viu algo*.

Veja o que diz Atos 9:

Enquanto isso, Saulo, motivado pela ânsia de matar os discípulos do Senhor, procurou o sumo sacerdote. Pediu cartas para as sinagogas em Damasco, solicitando que cooperassem com a prisão de todos os seguidores do Caminho, homens e mulheres, que ali encontrasse, para levá-los como prisioneiros a Jerusalém.

Quando se aproximava de Damasco, de repente uma luz do céu brilhou ao seu redor. Ele caiu no chão e ouviu uma voz lhe dizer: "Saulo, Saulo, por que você me persegue?".

"Quem és tu, Senhor?", perguntou Saulo.

E a voz respondeu: "Sou Jesus, a quem você persegue! Agora levante-se e entre na cidade, onde lhe dirão o que fazer".

Atos 9.1-6

Saulo odiava os cristãos.

Saulo ameaçava os cristãos.

A MUDANÇA DO EVANGELHO **41**

Saulo atormentava os cristãos.

Saulo matava os cristãos.

Mas então, de repente, Saulo mudou de time. O quê?

Saulo começou a tentar transformar todos que não eram cristãos *em* cristãos (At 9.20).

O episódio inteiro de Saulo na estrada de Damasco não deve ter durado mais que alguns instantes, mas mudou tudo em sua vida para sempre. Em um momento, Saulo passou de perseguidor assassino a servo grato. Isso não aconteceu após ouvir uma palestra. Ele não recebeu uma lista de passos atrativos e práticos para aprimorar sua vida. O que Saulo ouviu nem parece ter atrativos literários sofisticados.

Saulo recebeu uma visão de poder extraordinário e graça impensável.

Antes do evangelho, Saulo usava sua vida em nome de Deus. Após o evangelho, ele ofereceu a própria vida como sacrifício. Seu foco passou de "servir a Deus e matar" para "servir a Deus e morrer".

Antes do evangelho, o orgulho em sua obediência religiosa significava tudo para ele. Depois do evangelho, a humildade que surgiu da consciência daquilo que Deus havia feito por ele consumiu cada parte de quem ele era. (Você pode ler a esse respeito em Filipenses 3.7-8. O termo grego que Saulo usa para descrever seus sentimentos em relação às próprias realizações religiosas é *skubala*. Em nossas versões da Bíblia em português, está delicadamente traduzido por "lixo", "refugo" ou "esterco", mas, na verdade, era o tipo de palavra que levaria as mães do século 20 a esfregar a boca do filho com sabão.)

Antes do evangelho, Paulo era conhecido como Saulo, nome derivado de um rei orgulhoso, alto, bonito, obstinado e autossuficiente de Israel — Saul. Depois do evangelho, passou a ser conhecido como Paulo, nome que literalmente significa "pequeno" ou "humilde".

Saulo, o poderoso, se tornou Paulo, o dependente.

Antes do evangelho, Paulo transpirava ódio e inveja (Rm 7.1-7). Depois do evangelho, proclamou-se o principal dos pecadores e afirmou que seu coração sofria tanto por seus amigos perdidos que, se pudesse, iria para o inferno caso isso significasse um deles ir para o céu (Rm 9.1-3).

Que humildade.

Que zelo.

Que amor.

Em um mero momento, Paulo foi transformado.

Não é de se espantar que ele tenha dito: "Pois não me envergonho das boas-novas a respeito de Cristo, que *são o poder de Deus* em ação para salvar todos os que creem, primeiro os judeus, e também os gentios" (Rm 1.16, ênfase acrescentada).

O poder bruto que ressuscitou Cristo dos mortos é o mesmo que ergueu Saulo do orgulho mortal para a humildade que comunica vida.

Isso é que é poder.

O poder que nos transforma

Você pode não se considerar uma pessoa presunçosa. Mas você é.

Não estou dizendo isso porque pesquisei sobre sua vida, mas, sim, por que *todos* nós nos gabamos de algo. Estamos sempre em busca de alguma coisa que nos distinga dos outros.

Nós nos gabamos daquilo que nos traz segurança. Daquilo que buscamos quando as coisas estão difíceis a fim dizer a nós mesmos: "Vai ficar tudo bem". Daquilo que seja a garantia de que coisas melhores estão à nossa frente. Daquilo que seja a comprovação de que somos pessoas boas, aceitáveis e que nossa vida será aprovada por quem quer que exerça influência sobre nós e cuja opinião nos seja importante.

Algumas pessoas se gabam do quanto são belas ou talentosas. Outras se gabam do que sabem. Algumas daquilo que possuem ou do que conquistaram. Algumas do quanto são moralmente boas. Algumas da força de sua família.

Paulo havia passado por algumas dessas coisas, mas disse aos gálatas que jamais se gabaria de qualquer coisa além do evangelho — uma mensagem que declarava que Paulo era tão miserável que o Filho de Deus precisou sofrer uma morte sangrenta para livrá-lo do inferno (Gl 6.14).

Paulo se vangloriava de sua vergonha.

A vanglória de Paulo no evangelho é como se assentar em uma sala cheia de milionários e se gabar de ter uma coleção de cupons de desconto em produtos alimentícios.

Minha família adora o comediante Brian Regan. Quase toda noite em família inclui assistir a uma de suas apresentações. Uma de nossas favoritas se chama "O monstro do eu". Sabe aquele cara na festa que faz toda e qualquer conversa girar em torno dele? Não importa o que você tenha feito, ele já fez algo melhor.

Brian diz que queria ter a chance de andar na lua porque aí teria uma resposta para o monstro do eu. "Ah, é? Pois eu andei na lua." Pronto! Porque, você sabe, nada supera andar na lua.

Paulo, porém, acredita que existe algo ainda melhor do que isso. E é exatamente o contrário da atitude do monstro do eu.

Ele contou: "Recebi as riquezas de Cristo, a posição de filho no céu, o dom do Espírito Santo e a promessa de que bondade e misericórdia me seguirão todos os dias de minha vida. E não mereci nada disso. Deus me deu essas coisas tão somente por me amar".

Para Paulo, o evangelho é o maior dos motivos para se gabar em uma conversa ao redor da mesa.

É a única forma humilde de se gabar. E dela qualquer um pode participar.

Paulo sabia que o poder encontrado no evangelho era sua única esperança. Sabia também que não tinha em si as condições para viver a vida cristã, quanto menos para cumprir a missão que Deus lhe concedera, de levar o evangelho aos gentios! Paulo explica que, em Jesus, temos toda a sabedoria e o poder de que necessitamos para fazer tudo aquilo que Deus nos chamou a realizar. É por isso que ele se sentia tão confortável em ser fraco, negligenciado e desprezado. Ele chegava a ficar entusiasmado com seus sofrimentos e suas fraquezas, se isso significasse aprender a depender mais de Cristo (1Co 1.20-31; Cl 1.24).

Suas inseguranças e inadequações levam você a se aprofundar na esperança do evangelho?

Ou seus sofrimentos e suas fraquezas o fazem se afastar do evangelho?

Talvez você conheça o evangelho, mas não se vanglorie nele. Não é o lugar seguro para lhe garantir que tudo ficará bem no futuro. Não é o bem que você deseja levar para o amanhã com maior empolgação.

Paulo diz que deve ser assim se você quiser a alegria e a confiança que caracterizam aqueles que reviram o mundo de cabeça para baixo!

Paulo se alegra porque no evangelho temos o bem supremo (a plenitude de Deus), experimentamos o amor supremo (na cruz), recebemos a vitória suprema (livramento do pecado e da morte) e adquirimos a garantia suprema (Jesus hoje se assenta à direita de Deus, controlando todas as coisas para meu bem). O que mais haveria para se gabar? Para onde mais nos voltaríamos?

Martinho Lutero entendia isso.

Uma só palavra

O protestante alemão pode não ter enxergado Jesus com os próprios olhos como Paulo, mas teve a mesma visão transformadora do evangelho para sua vida. No evangelho, Lutero encontrou os recursos para se assegurar de seu relacionamento com Deus. Também encontrou os elementos para despertar uma igreja medieval exaurida, disparatada e derrotada. Lutero descreveu sua recuperação do evangelho como um homem que está caindo pela coluna de uma torre com sino, estendendo a mão desesperado para agarrar a única corda disponível. Ao segurá-la, não só interrompeu a própria queda, como também fez soar o sino que despertou metade da Alemanha.

Algo parecido acontece com todos aqueles que encontram o evangelho.

Em 31 de outubro de 2017, comemoramos o aniversário de quinhentos anos do início da Reforma protestante. Quinhentos anos desde o dia em que Martinho Lutero pregou as 95 teses na porta da igreja do castelo de Wittenberg. Essas 95 teses foram a tentativa de Lutero de condenar os atos da Igreja Católica Romana e explicar que a verdadeira salvação se encontrava no perdão e na graça de Deus oferecidos por intermédio do sacrifício de Jesus.

(Eu me fantasiei de 95 teses no Halloween do ano passado, solidificando para sempre minha reputação de *nerd* da teologia aqui no bairro. Mas estou fugindo do assunto...)

Toda a Reforma começou com um jovem monge alemão se aprofundando em Romanos, na busca por um caminho para escapar do desespero. E terminou com a redescoberta do evangelho.

Mas o achado de Lutero parecia perverso e perigoso para os líderes religiosos de sua época. Parecia ameaçar seu domínio do poder. Por isso, fizeram Lutero comparecer perante as autoridades. Exigiram que ele se retratasse do que havia escrito.

Um dos líderes religiosos, o cardeal Caetano, ameaçou deportar Lutero para Roma a fim de que fosse preso — e possivelmente queimado em uma estaca — pela "heresia" de dizer que Deus nos aceita não por aquilo que fazemos, mas, sim, pelo que Cristo fez.

Caetano disse a Lutero que ele poderia sair livre caso proferisse uma só palavra: *revoco* ("revogo"). Apenas uma palavrinha, disse Caetano, pode salvá-lo.

Lutero respondeu que ele seria a pessoa mais amada do império caso pronunciasse aquela palavra, *revoco*. Mas seria capaz de negar o entendimento que o levou a se tornar cristão?

Posteriormente, compôs a letra do célebre hino "Castelo forte".

Se nos quisessem devorar demônios não contados,
Não nos podiam assustar, nem somos derrotados.
O grande acusador dos servos do Senhor
Já condenado está; vencido cairá
Por uma só palavra.

Uma só palavra.

A que Lutero tinha em mente continha ainda mais poder do que a que lhe conquistaria a aprovação do império.

Credo. Creio.

Uma palavrinha que conecta você ao poder por trás do túmulo vazio.

Lutero sabia algo de que costumamos nos esquecer: *uma só palavra de fé acessa o poder do próprio Deus.* Paulo declara que o mero fato de dizê-la (de coração) torna justo o pecador (Rm 10.9-10). Essa crença liberta o cativo, faz o coxo andar, o cego ver e o morto reviver. Paulo disse que é o poder de Deus para a salvação.

Faz da tragédia, triunfo.

Transforma pecadores derrotados em conquistadores invencíveis.

Com o evangelho, nenhuma arma empunhada contra os filhos de Deus prosperará, e todos os que se levantarem contra nós cairão. A confissão de nossa crença nos liberta no poder do Espírito de tal maneira que nem as portas do inferno são capazes de resistir.

É a fortaleza à qual podemos voltar vez após vez. O grande louvor de Lutero, chamado de "Hino de batalha da Reforma", termina com as seguintes palavras:

Sim, que a palavra ficará, sabemos com certeza,
E nada nos assustará com Cristo por defesa.
Se temos de perder os filhos, bens, mulher,
Embora a vida vá, por nós Jesus está,
E dar-nos-á seu reino.

Se formos sábios, a única coisa na qual nos vangloriaremos, esperaremos e nos apegaremos será o evangelho. Porque é nessa palavrinha — e somente nela — que se encontra o castelo forte do poder de Deus.

Energia desperdiçada

Sabe aquele comercial da Nike em que todos descobrem que o mundo parou de girar? O âncora do telejornal confirma: "O mundo parou de girar em volta de seu eixo". Inspirada ao ver a roda de um *hamster* por perto, uma mulher jovem pega seu par de tênis Nike e convida a todos que conhece para correr na mesma direção, a fim de que o mundo volte a girar.

Eles começam a correr.

Com o tempo, alguns amigos famosos se unem em sua causa: Kobe Bryant, Kevin Hart, Odell Beckam Jr., Simone Biles e até Bill Nye.

Bem, eles conseguem fazer o mundo voltar a girar. O problema é que estavam correndo na direção errada. Por isso, viram e correm para o outro lado. É claro que Kevin Hart, que fica parecendo não só o gênio da comédia, mas também da geofísica, sabia o tempo inteiro que eles estavam indo na direção contrária.

Eu amo esse comercial.

Mas também o odeio.

Parabéns para a Nike, porque essa propaganda me fez ir até o *shopping* comprar tênis novos para corrida.

Mas a verdade é que, mesmo que todos os 7,8 bilhões de habitantes do planeta corram na mesma direção ou fiquem de cabeça para baixo, a rotação da Terra não é nem um pouco afetada. Você acharia que pelo menos Bill Nye, o cara da pseudociência, saberia disso.

Sinto a mesma frustração com pessoas que tentam mudar o mundo por meio de postagens no Facebook e no Twitter. Em nenhum outro lugar se gasta tanta energia com menos resultados do que nas engrenagens das redes sociais.

Tenho certeza de que você sabe do que estou falando. São aquelas pessoas no Facebook que tentam convencer a todos de que "NÃO CONCORDAR COMIGO NO *ASSUNTO* _____ FAZ DE VOCÊ UMA PESSOA RUIM QUE ODEIA A LIBERDADE E, A PROPÓSITO, VOCÊ PROVAVELMENTE TAMBÉM DEVERIA CHUTAR CACHORRINHOS FILHOTES E JOGAR CANUDOS DE PLÁSTICO NO MAR!".

Mas será que nossos discursos extravagantes digitais mudam as pessoas? Ou estão mais ligados a nós, tentando declarar nossa justiça própria?

Reflita sobre sua experiência pessoal. *Você* já mudou de ideia ao ler algo que alguém disse nos comentários em uma de suas publicações no Facebook? Já formulei novas opiniões sobre a *pessoa* que fez a postagem, mas normalmente não uma nova opinião sobre o assunto comentado. Quanto mais tempo se passa desde o surgimento das redes sociais, mais elas parecem se tornar a versão desta geração daqueles homens barbados, sem sapatos que desfilavam pelo centro da cidade com cartazes em mãos, gritando que o fim do mundo se aproxima.

Preocupo-me se os sermões que muitos de nós ouvimos nas igrejas vão muito além disso. Pregações mais focadas em mudar nosso comportamento ou nossas opiniões do que na mudança do coração representam o mesmo que gráficos e tabelas sobre a destruição atemorizante do mundo. Se não vivenciarmos uma mudança de coração, todas as modificações comportamentais externamente impostas sempre serão falhas. Teríamos mais sorte tentando fazer a Terra girar, sem Kevin Hart como companheiro de corrida.

Para provar isso, só preciso de alguns tomates e maionese.

Eu odeio sanduíche com tomate. Penso que Deus criou os tomates para virarem molho, não para entrar em sanduíches.

(Isso está na lei de Levítico em algum lugar, eu acho...) A única coisa que eu odeio mais do que sanduíche com tomate? Maionese.

Se você gosta de sanduíche com tomate e maionese, pare de ler um pouco e vá consultar um médico. Ou, melhor ainda, quem sabe um exorcista.

Veja só: se você for grande e forte o suficiente, é possível que consiga me forçar a comer um sanduíche com tomate e maionese. Mas isso é tudo que conseguirá de mim com esse método.

Forçar-me a comer não me levará a amar esse tipo de sanduíche.

Assim que você me der as costas, vou jogar o resto fora.

Da mesma maneira, qualquer mudança externa que não comece com uma mudança de coração acabará se esvaindo. O resultado final sempre deixará a desejar.

Infelizmente, muitas estratégias de ministério nas igrejas usam o método do sanduíche de tomate. Tais estratégias inserem as pessoas em programas, mas os programas não ocasionam uma mudança duradoura no coração. As pessoas só agem como se amassem tudo que o programa inclui, mas, na verdade, apenas gostam de estar junto com gente que já conhecem e cuja presença as deixa confortáveis.

O método do sanduíche de tomate cria hipócritas.

E pessoas exaustas.

E líderes frustrados.

E o pior de tudo: uma igreja sem poder.

Pastores que são excelentes oradores, que colocam o público de pé, aplaudindo e dizendo "amém", muitas vezes falham em despertar a mudança de vida que vemos em Atos. Nesse livro da Bíblia, as histórias incluem pessoas simples, normais, cotidianas, que foram transformadas pelo poder do evangelho. Chegavam a ser descritas como oradores não muito bons. É sério: em 2Coríntios, Paulo comenta que suas pregações tinham a fama de ser um grande pastel de vento (10.10)!

Nosso problema hoje é que muitos de nossos pregadores contemporâneos são excelentes em oratória, mas fracos no evangelho. A oratória é capaz de produzir respostas emocionais, mas não mudanças duradouras. Assim que a mágica na oratória vai embora, o movimento termina.

Quando o culto acaba, jogamos fora o sanduíche de tomate.

É isso que acontece com o que ouvimos em igrejas centradas em sabedoria prática e dicas para viver bem. Tais sermões apresentam um retrato de como as pessoas deveriam viver, mas esse é o fim da história. Não há menção ao poder necessário para fazê-las chegar lá. E o pior: o conteúdo dessas mensagens (e livros populares) prega uma peça sobre os leitores/ouvintes, fazendo-os confundir sua vida moralista ligeiramente melhorada com a vida ressurreta da nova criação que caracteriza os verdadeiros filhos de Deus. Esforços como esses têm aparência de piedade, mas negando-lhe o poder (2Tm 3.5).

O resultado é que as pessoas acabam confusas, exaustas e perdidas.

Todavia, um vislumbre da glória de Deus, na face de Jesus Cristo, ou uma só palavra de fé na obra consumada de Cristo pode liberar mais poder na alma do cristão que todos os sermões e programas já elaborados no meio cristão.

Veja bem, Deus não quer apenas obediência. O que ele busca é *um tipo completamente novo* de obediência. Deus quer uma obediência que cresce no solo da vontade. Quer que seu povo seja obediente porque anseia pela retidão, porque desejamos Deus acima de todo o resto.

52 O EVANGELHO ACIMA DE TUDO

Esse tipo de obediência só pode ser produzido pelo evangelho.

Nascido de novo

Todos os despertamentos religiosos na América do Norte têm uma coisa em comum: uma declaração ousada de que aquilo que Deus requer das pessoas não pode ser encontrado dentro do coração humano. Esse é o tema que unifica a pregação de Jonathan Edwards, George Whitefield, John Wesley, D. L. Moody, Billy Sunday e Billy Graham.

"Nascer de novo" aponta para algo que não podemos fazer por conta própria, algo que — a princípio — nos deixa desesperados. Jesus usou essa expressão pela primeira vez com um homem que tinha todas as razões para crer que sua vida já estava resolvida.

O líder religioso Nicodemos falou para Jesus: "Todos nós sabemos que Deus enviou o senhor para nos ensinar. Seus sinais são prova de que Deus está com o senhor" (Jo 3.2). Jesus, que parecia preferir pular os rodeios e bajulações para ir direto ao ponto, respondeu dizendo: "Eu lhe digo a verdade: quem não nascer de novo, não verá o reino de Deus" (v. 3).

Nicodemos ficou confuso. "Nascer de novo? Como posso voltar para o útero de minha mãe? Isso é fisicamente possível?"

"Eu lhe digo a verdade", declarou Jesus, "ninguém pode entrar no reino de Deus sem nascer da água e do Espírito" (v. 5).

"Mas como é possível nascer do Espírito?" (É preciso dar um crédito para Nicodemos: ele não estava entendendo nada do que Jesus dizia, mas era educado o bastante para continuar fazendo perguntas.) Jesus explicou:

Como Moisés, no deserto, levantou a serpente de bronze numa estaca, também é necessário que o Filho do Homem seja levantado, para que todo o que nele crer tenha a vida eterna. Porque Deus amou tanto o mundo que deu seu Filho único, para que todo o que nele crer não pereça, mas tenha a vida eterna.

João 3.14-16

Jesus faz alusão, nessa passagem, a uma das melhores imagens bíblicas de como funciona a salvação. Trata-se de uma história enigmática em Números, livro do Antigo Testamento. Em consequência do pecado dos israelitas, Deus enviou serpentes que os picou e matou muitos. O povo clamou por misericórdia, e Deus instruiu Moisés a fazer uma serpente de bronze e colocá-la em um mastro no alto de uma colina. Se os israelitas olhassem para cima com fé, crendo que a salvação e a cura pertencem a Deus, seriam curados (Nm 21.4-9).

Jesus diz que essa é a imagem de como obtemos perdão e cura espiritual. Quando olhamos para Jesus pendurado na cruz e dizemos: "Aqui está minha salvação!", sua justiça nos é dada. Quando você crê que Deus cumpriu a obra da salvação, o poder de cura da retidão lhe é transmitido. É assim que você entra na vida cristã. É assim também que você cresce na vida cristã.

A nova vida em você começa com um olhar. E cresce quando esse olhar é sustentado.

Nascer de novo significa morrer primeiro

Existe, porém, uma má notícia inerente a nascer de novo. Para nascer de novo, é preciso reconhecer que nos encontramos mortos agora. Para vivenciar o novo nascimento, é necessário lamentar a fraqueza de nossa vida sem Jesus.

54 O EVANGELHO ACIMA DE TUDO

Nicodemos precisava reconhecer que todos aqueles anos de religião não o haviam levado nenhum passo para mais perto do reino de Deus (Jo 3.4). Isso era difícil e humilhante para um homem que havia dedicado a vida ao rigor religioso. É por essa razão que tantas pessoas religiosas acabam perdendo de vista o evangelho. Mas esse é o único caminho. Precisamos experimentar as trevas da noite antes de apreciar a alvorada. Quando o fizermos, ah, que gloriosa parecerá a manhã!

O célebre evangelista do Grande Despertamento George Whitefield conhecia o poder dessa transformação. Em seus sermões, Whitefield pregava basicamente uma mensagem com dois pontos. Primeiro, dizia ele, necessitamos nos arrepender de nossos pecados. Isso faz sentido, é claro. A fim de conhecer a Deus, precisamos deixar de lado os pecados que o desafiam.

Em segundo lugar, dizia ele, devemos nos arrepender de nossa justiça. Isso pegava a todos desprevenidos. Whitefield explicava que os pontos fortes são ainda mais perigosos que os pecados, porque nossa justiça nos engana com falsa confiança. Acabamos achando que somos suficientes para agradar a Deus. Um indivíduo salvo pela pregação de Whitefield, um homem branco da classe trabalhadora chamado Nathan Cole, descreveu a experiência da seguinte maneira: "Ao ouvi-lo pregar, meu coração se feriu. Pela bênção de Deus, meus antigos fundamentos ruíram e vi que minha justiça não iria me salvar".[2]

Antes disso, porém, precisamos alcançar o mesmo ponto de desespero em nossa vida.

Antes de vivenciar o poder do novo nascimento, é necessário nos desesperarmos diante da absoluta impotência de tudo que veio previamente. Devemos nos arrepender de qualquer coisa além da fé simples no evangelho.

Mas isso não se aplica somente à esfera pessoal. Não somos apenas nós que precisamos chegar a esse ponto de desespero; nossas igrejas precisam alcançá-lo também.

Nossos líderes precisam alcançá-lo.

Nossos ministérios precisam alcançá-lo.

Antes de planarmos nas alturas do sucesso, devemos primeiro entender as profundidades do fracasso que, sem dúvida, nos pertencerá sem o poder de Deus.

Um novo tipo de cristão

Sem o poder do evangelho, nada mudará.

Se você não acredita nisso na teoria, logo precisará aceitar essa realidade pela prática.

O evangelho causa uma mudança na igreja diferente de qualquer coisa que veio antes. Em lugar de hipócritas religiosos cheios de orgulho que temem quem não faz parte do grupo (como Paulo), cria pessoas generosas, redentoras, que transmitem cura e atraem os de fora.

Vi essa transformação do evangelho acontecer em nossa igreja. Por anos, tivemos um corpo de cristãos grande, bem-sucedido e religiosamente ativo. Era ótimo. Estávamos crescendo. Parecíamos prosperar. Até acontecer algo que mudou completamente a maneira da cidade perceber nossa presença.

Você já deve ter adivinhado!

Foi o evangelho.

Quando o evangelho realmente fincou raízes, nossos membros ganharam a reputação de estar onde quer que houvesse dificuldades.

Recentemente, um casal me contou sobre a entrevista final com a assistente social antes de receber permissão para se tornarem uma família acolhedora de crianças e adolescentes em situação de vulnerabilidade. Foi-lhes perguntado por que queriam fazer isso. É uma pergunta comum, mas eles não tinham certeza do quanto deveriam compartilhar acerca de suas motivações religiosas.

Meio tímidos, eles se entreolharam e explicaram:

— Bem, cremos que foi isso que Cristo fez por nós quando morreu por nossos pecados. Ele nos transformou em filhos e filhas de Deus.

Na mesma hora, a entrevistadora disse, sem expressar emoção alguma:

— Vocês devem ser da Summit Church.

— Como você percebeu? — perguntaram.

— Porque todos da Summit Church que vêm para cá dizem a mesma coisa. Na verdade, é possível identificar um ponto de virada no programa de famílias acolhedoras na região de Durham depois que a Summit Church se envolveu.

Essa é a transformação do evangelho.

Tudo aconteceu na mesma época em que percebi que o evangelho não corresponde somente aos passos iniciais do cristianismo, mas, sim, à maratona inteira. O evangelho não provê algumas coisas; ele provê tudo — da motivação *ao* poder — na vida cristã. Literalmente, a assistência social de Durham era capaz de identificar o momento em que o evangelho fincou raízes em nossa igreja.

É isso que acontece em nossas cidades e comunidades quando o evangelho se aprofunda no solo de tudo que fazemos. Quando está acima de tudo.

Não me entenda mal. Não estou dizendo que o evangelho é a única coisa que fazemos em nome de Jesus. O que estou afirmando é que o evangelho *motiva* tudo que fazemos em nome de

Jesus e *capacita* tudo que fazemos em nome de Jesus. Quando o evangelho toma conta do nosso coração, não conseguimos guardá-lo só para nós. Sentimos *necessidade* de compartilhar.

Conheço um casal da classe trabalhadora de nossa igreja que usou os lucros de seu novo negócio extremamente bem-sucedido para comprar dois apartamentos a fim de proporcionar moradia de baixo custo para uma mulher em crise e uma família de refugiados de nossa região. Esses dois apartamentos lhes deram tantas alegrias que eles compraram mais *trinta*, na esperança de fazer o mesmo pelos vulneráveis de nossa cidade.

> Quando o evangelho toma conta do nosso coração, não conseguimos guardá-lo só para nós.

Eles chegaram a recrutar outras famílias de nossa igreja para morar em alguns desses apartamentos a fim de serem as mãos e os pés do evangelho a esses grupos marginalizados.

Não faz muito tempo, um funcionário da prefeitura de nossa cidade me disse: "Em todos os lugares desta cidade onde algo não funciona, há alguém da Summit Church tentando resolver. Isso significa algo para nós".

Significa algo para mim também. Significa que o evangelho fincou raízes.

Não conto essas histórias com o intuito de chamar atenção injustificada para nossa igreja. Também temos todos os tipos de problemas. Acredite em mim. Quanto mais perto você chegar, menos impressionado irá ficar. Assim como acontece com a maioria dos grupos, parecemos melhores descritos em livros do que na experiência pessoal.

Nossa vanglória é o evangelho.

Talvez você não tenha os recursos de nossa igreja. Talvez tenha mais. Talvez sua equipe de louvor não seja tão boa

58 O EVANGELHO ACIMA DE TUDO

quanto a nossa. Talvez seja melhor. Mas nós não nos gabamos de nenhuma dessas coisas, e você também não deve fazê-lo. Nossa vanglória começa com nossa vergonha. Começa com nossa fraqueza. Nossa vanglória está no evangelho. A boa notícia é que todos temos acesso a essa mesma vanglória — cada um de nós.

Todos queremos ver uma sociedade transformada. Ficamos desanimados com a pobreza, as doenças, a injustiça e o preconceito ao nosso redor. Queremos fazer a diferença. Contudo, somente no evangelho encontramos os recursos para uma mudança duradoura.

Precisamos ser ativos no combate à injustiça, fornecendo ajuda material e apoio àqueles que tentam se libertar do vício. Queremos ser sal e luz em nossa comunidade, influenciando suas práticas para o bem.

Mas não pense que podemos instaurar o reino de Deus com as armas do mundo — seja com a espada, o dinheiro ou um músico talentoso. Jesus disse: "Meu reino não é deste mundo. Se fosse, meus seguidores lutariam para impedir que eu fosse entregue aos líderes judeus. Mas meu reino não procede deste mundo" (Jo 18.36). O reino de Deus é do alto, alimentado por um poder do alto — um poder que flui de um olhar longo de fé na obra consumada de Cristo.

Fixe seus olhos nele.

Experimente de novo seu poder.

Veja e viva

Você já vivenciou algo tão inacreditável, tão extraordinário que simplesmente não conseguia parar de falar daquilo? Comer um pedaço de picanha temperada com sal grosso em ponto perfeito. A primeira vez que saltou de paraquedas. O momento em que uma fatia generosa de torta de chocolate chega a seu prato. Assistir a *Os Miseráveis* na Broadway. Visitar o Havaí. Descobrir inesperadamente uma maratona de filmes do Nicolas Cage na televisão.

As pregações de Charles Spurgeon atraíam milhares em Londres em uma época na qual jamais se havia ouvido falar de megaigrejas. As pessoas que se assentavam para ouvir suas pregações contam que eram tomadas por uma paixão tão real que sentiam poder tocá-la. Essa paixão emanava de uma experiência em primeira mão com o poder de Deus, da qual Spurgeon simplesmente não conseguia parar de falar. Assim como Lutero antes dele (e Paulo antes de Lutero), o grande pregador fora mudado em um instante tão somente por *olhar* para Jesus. Na história de conversão de Spurgeon, encontramos um padrão para todos nós.

Foi assim que ele contou (confie em mim, vale a pena ler palavra por palavra):

> Às vezes penso que talvez eu estaria em trevas e desespero até agora, não fosse pela bondade de Deus em enviar uma nevasca certo domingo de manhã enquanto eu me dirigia a um local de culto. Ao perceber que não dava para prosseguir, virei em uma rua lateral e entrei em uma pequena capela metodista primitiva. Ali dentro, havia de doze a quinze pessoas. Eu havia ouvido falar sobre os metodistas primitivos, como eles cantavam tão alto que fazia a cabeça das pessoas doer; mas aquilo não me incomodou. Eu queria saber como ser salvo, e se eles pudessem me dizer isso, não me importaria com o quanto minha cabeça doesse.
>
> O pastor não foi naquela manhã; ficou preso por causa da neve, imagino. Por fim, um homem muito magro, um sapateiro, alfaiate ou algo do tipo, subiu ao púlpito para pregar. É bom que

60 O EVANGELHO ACIMA DE TUDO

os pregadores sejam instruídos, mas aquele homem era bem ignorante. Era obrigado a se ater ao texto, pelo simples motivo de que tinha pouco mais a dizer.

O texto era: "Olhai para mim e sede salvos, vós, todos os limites da terra".

Ele nem pronunciou as palavras corretamente, mas isso não importou. Pensei que havia ali, naquela passagem, um vislumbre de esperança para mim. Então o pregador começou:

"Meus caros amigos, este texto de fato é muito simples. Diz: 'Olhai'. Olhar não dói. Não levanta o pé, nem o dedo. É apenas olhar. Bem, ninguém precisa ir à faculdade para aprender a olhar. Não precisa ganhar mil libras por ano para conseguir olhar. Qualquer um pode olhar. Até mesmo uma criança. Mas então o texto diz: 'Olhai para mim'", disse ele com forte sotaque da região de Essex. "Muitos de vocês olham para si mesmos, mas não adianta nada. Você jamais encontrará qualquer conforto em si mesmo... O texto diz: 'Olhai para mim'".

Então o bom homem continuou o texto da seguinte maneira:

"Olhai para mim, estou suando grandes gotas de sangue. Olhai para mim, estou pendurado na cruz. Olhai para mim, fui morto e enterrado. Olhai para mim, ressuscitei. Olhai para mim, subi aos céus. Olhai para mim, estou assentado à direita do Pai. Ó, pobre pecador, olhai para mim! Olhai para mim!".

Quando terminou esses comentários, por volta de dez minutos depois, já estava no fim de seus argumentos.

Então olhou para mim debaixo da galeria e ouso dizer que, com tão poucos presentes, ele deve ter percebido que eu era um estranho. Com os olhos fixos em mim, como se conhecesse tudo que se passava em meu coração, ele disse: "Jovem, você parece muito infeliz".

Bem, eu parecia mesmo; mas não estava acostumado a receber comentários do púlpito sobre minha aparência pessoal. No entanto, foi um golpe certeiro, que atingiu o alvo.

Ele continuou:

"E você sempre será infeliz — infeliz na vida e na morte — se não obedecer a meu texto. Mas se obedecer agora, neste momento, você será salvo". Então, levantando as mãos, gritou como somente um metodista primitivo seria capaz de fazer: "Jovem, olhe para Cristo. Olhe! Olhe! Olhe! Não há nada mais que precise fazer além de olhar e viver".

Vi de uma vez o caminho da salvação. Não sei o que mais ele disse — não prestei muita atenção — pois estava tomado por aquele pensamento único. Como na ocasião em que a serpente de bronze foi erguida e as pessoas apenas olharam e foram curadas, assim aconteceu comigo. Eu achava que seria preciso fazer cinquenta coisas, mas quando ouvi a palavra "Olhe!", que cativante ela foi para mim! Então olhei até praticamente desgastar os olhos. Ali mesmo a nuvem se foi, as trevas desvaneceram e eu enxerguei o sol. Eu poderia ter me levantado naquele instante e cantado com os mais entusiasmados dentre aqueles irmãos sobre o sangue precioso de Cristo e a fé simples daquele que olha somente para Ele. Ah, se alguém tivesse me dito isso antes: "Tenha fé em Cristo e você será salvo"!

Sem dúvida, porém, tudo foi ordenado com sabedoria, e agora eu posso dizer: "Desde que pela fé vi a fonte de suas chagas a jorrar, o amor que redime é meu lema de vida e o será até minha vida terminar".[3]

Olhar e viver.

Isso é tudo que precisamos fazer.

Com um único olhar, tudo pode mudar. Com uma só palavra, os poderes das trevas podem ser desarmados. Somente o evangelho possui esse tipo de poder.

Não é de se espantar que Spurgeon tenha dito que seu objetivo em todas as mensagens era "jogar a bola de volta para o evangelho".

Somente o evangelho, a declaração de que Cristo finalizou a obra de salvação, é capaz de produzir mudança real.

Somente o evangelho é capaz de compelir igrejas perseguidas a continuar se reunindo, prestando culto e compartilhando a mensagem, sob a ameaça de morte ou exílio.

Somente o evangelho pode transformar um homem que matava cristãos em alguém que passou a se denominar "servo de Jesus Cristo" e "apóstolo aos gentios".

Somente o evangelho foi capaz de transformar um monge legalista e morbidamente introspectivo como Martinho Lutero no porta-voz da Reforma protestante, dando-lhe coragem de se apegar ao evangelho mesmo sofrendo ameaças de morte.

> Somente o evangelho, a declaração de que Cristo finalizou a obra de salvação, é capaz de produzir mudança real.

Somente o evangelho pode mudar você. Somente o evangelho pode mudar sua igreja. Somente o evangelho pode mudar sua comunidade. Somente o evangelho.

Sem agenda política. Sem programas. Sem oratória comovente. Sem iniciativas de justiça social. Essas coisas fluem naturalmente de uma experiência com o evangelho, mas não podem substituí-lo.

A boa notícia é que, quando o evangelho está acima de tudo em nossas igrejas, a renovação vem em seguida. E, quando isso acontece, ninguém é capaz de dizer o que Deus pode fazer em seguida.

3

A missão do evangelho

....

Os parâmetros a partir dos quais uma igreja deve medir seu
sucesso não são a quantidade de novos nomes adicionados
ao rol de membros e o aumento do orçamento anual. Pelo
contrário: o que vale é quantos cristãos estão ganhando
almas e treinando-as para conquistar as multidões.

ROBERT COLEMAN, *Plano mestre de evangelismo*

— Nossa maior necessidade agora não é de mais dinheiro.

Não sei se eu já havia ouvido essa frase de um líder de uma agência de missões antes, mas foi isso que o dr. Kevin Ezell, presidente do Comitê Norte-americano de Missões [NAMB, na sigla em inglês], a maior organização de plantio de igrejas nos Estados Unidos, disse para mim e nossa equipe pastoral missionária em um jantar.

— Ótimo! Então você paga o jantar — brinquei enquanto olhava o cardápio de sobremesas.

— É claro que sempre aceitaremos o dinheiro de vocês — continuou ele —, mas nossa *maior* necessidade é de plantadores qualificados. Simplesmente não contamos com uma quantidade suficiente de plantadores de igreja qualificados nos quais investir.

A NAMB é uma agência da Convenção Batista do Sul, que ostenta 16 milhões de membros em 42 mil igrejas ao redor dos Estados Unidos — e temos dificuldade de encontrar quinhentos plantadores qualificados por ano? É apenas um plantador para cada 840 igrejas ou um a cada 320 mil membros batistas do sul.

E as outras tribos evangélicas não parecem estar se saindo muito melhor, se você quer saber. Certa vez, ouvi o líder de uma rede bem-sucedida de plantio de igrejas — a rede conhecida pelo menor índice de fracasso — explicar que estavam procurando maneiras de atrair plantadores qualificados de *fora* de sua rede para plantar igrejas *por meio* dela.

Ousamos perguntar por que as redes mais eficazes de plantio de igrejas precisam recrutar pessoas de fora e não estão levantando líderes suficientes dentro das próprias igrejas?

Se estamos todos em busca dos líderes dos outros, quem está formando uma liderança nova?

Se as *redes de plantações de igrejas* não são eficazes em formar líderes, quem é?

O dr. Ezell continuou sua explicação:

— O motivo para essa falta é que muito poucas de nossas igrejas têm canais intencionais de desenvolvimento de liderança. Se ficássemos bons em fazer discípulos novamente, o plantio de igrejas cuidaria de si mesmo.

Começo a achar que ele está certo.

Nossa falha em levantar líderes plantadores de igrejas é sintoma de nossa falha em formar discípulos em nossas igrejas. Parece que poucos de nós estão engajados em fazer discípulos, quanto menos são habilidosos nisso. Em 2015, quando palestrei em um evento com o dr. Albert Mohler, presidente do Seminário Teológico Batista do Sul, eu o ouvi dizer: "A grande maioria das pessoas já batizadas por nosso povo (os batistas do sul) é formada por nossos filhos. Nunca fomos muito evangelísticos para com aqueles que não geramos".

Só somos eficazes no evangelismo aos próprios filhos?

A MISSÃO DO EVANGELHO **65**

Não se esqueça de que estamos falando da *Convenção Batista do Sul*, a denominação dos Estados Unidos provavelmente mais conhecida por seu foco evangelístico. (Se alguém bater à sua porta perguntando se você está preparado para um encontro com Deus hoje à noite, grandes são as chances de que seja um testemunha de Jeová ou um batista do sul.) E essas palavras não vêm da boca de um crítico cínico, mas de Albert Mohler, um amado patriarca do movimento.

> Tudo que realizamos no ministério deve partir de fazer discípulos ou levar a isso.

Muitas habilidades moldam o ministério eficaz: liderança de excelência, visão ampla, pegada empreendedora, execução disciplinada. Mas todas essas habilidades não significam nada se não estivermos *fazendo discípulos*, um a um. Sem isso, todos os recursos que angariamos, prédios que construímos, ministérios que organizamos, sermões que pregamos e músicas que escrevemos não fazem a missão avançar. Sem essa missão, estamos perdendo tempo.

Assim, tudo que realizamos no ministério deve partir de fazer discípulos ou levar a isso. Fazer discípulos, afinal, é o componente central da Grande Comissão deixada por Jesus (Mt 28.19-20) e deve ser o padrão usado para julgar cada ministério da igreja.

Em seu clássico livro *Plano mestre de evangelismo*, Robert Coleman afirmou:

> A Grande Comissão não consiste apenas em ir às extremidades da Terra para pregar o evangelho (Mc 16.15), nem em batizar muitos convertidos em nome do Deus trino, nem de ensinar-lhes os preceitos de Cristo, mas em "fazer discípulos", ou seja, edificar pessoas para que sejam iguais a eles mesmos, que foram

tão mobilizados pelas boas-novas que não somente seguiram a Cristo, como levaram outros a seguir os caminhos de Cristo também.[1]

Coleman destaca que, nos versículos que formam a Grande Comissão, há apenas um verbo no imperativo: "Façam discípulos". Todas as outras palavras em Mateus 28.19-20 que traduzimos como imperativo em português, na verdade, estão no particípio. Sei que você está prestes a consultar a Wikipédia agora mesmo para lembrar o que é particípio, então vou direto ao ponto: significa que Jesus via tudo o mais que ordenou naqueles versos — batizando, indo e ensinando — como subelementos da ação principal: fazer discípulos.

Fazer discípulos é o principal chamado da igreja.

Nossa missão.

Nosso propósito.

Isso quer dizer que *os* parâmetros a partir dos quais uma igreja deve medir seu sucesso "não são a quantidade de novos nomes adicionados ao rol de membros e o aumento do orçamento anual". Nem de perto. O sucesso da igreja reside em quantos cristãos estão ativamente envolvidos em fazer discípulos e capacitando-os para conquistar multidões.

Quantos de nossos membros podem olhar ao redor em uma manhã de domingo e apontar para alguém (que não pertença à própria família) que está ali porque eles trouxeram aquela pessoa a Cristo?

Quantos podem apontar para alguém que está lá porque alguém que eles levaram a Cristo conduziram aquela outra pessoa a Cristo?

Talvez isso não seja justo.

Afinal, não podemos controlar quantas pessoas aceitam Jesus.

Tudo bem, então vamos lá: quantos dos nossos membros de igreja estiveram dentro da casa de um de seus vizinhos não religiosos no último mês?

Se você pedisse às pessoas de sua igreja que pegassem o celular e mandassem mensagem para um não cristão com quem tivessem intimidade suficiente para marcar um café espontâneo mais tarde naquele mesmo dia, quantos teriam com quem conversar? Quantas pessoas de sua igreja que leem a Bíblia todos os dias tentaram estudar a Palavra com algum não cristão em algum momento ao longo do último ano?

Mais uma pergunta: se Deus respondesse, de uma só vez, a todas as orações que os membros de sua igreja fizeram na última semana, quantas novas pessoas estariam no reino?

> Muitas das igrejas que crescem com maior rapidez em nosso país não o fazem por estarem conquistando e discipulando novos cristãos, mas, sim, por importá-los de outras.

A realidade desconfortável é que muitas das igrejas que crescem com maior rapidez em nosso país não o fazem por estarem conquistando e discipulando novos cristãos, mas, sim, por importá-los de outras igrejas.

Um cenário familiar se repete em muitas de nossas cidades grandes: uma igreja da moda com música excelente chega na cidade e todos migram para lá. A igreja ostenta um crescimento com "nível do Novo Testamento", mas o número total de pessoas dentro de uma igreja em qualquer fim de semana não aumentou.

É claro que isso não é discipulado.

No máximo, é roubo de ovelhas.

68 O EVANGELHO ACIMA DE TUDO

Trocar membros não é uma investida sobre as portas do inferno, mas apenas o reposicionamento de soldados em novos pelotões. E então ficar descansando nos quartéis.

Ao longo de muitos anos, desejamos que a formação de discípulos fosse a prioridade em nossa igreja, mas nosso ministério universitário finalmente abriu caminho para isso. Anualmente, eles enviam ao ministério cerca de cinquenta estudantes, cuja maioria não cresceu na igreja. Há alguns anos, enviaram uma equipe completa de plantadores de igrejas para o sudeste da Ásia, formada por oito recém-formados, *sete dos quais* haviam se tornado cristãos em nossa igreja durante o período universitário. No ano seguinte, catorze estagiários se uniram à equipe a fim de ajudar a alcançar mais universitários da região, *todos eles* convertidos durante a faculdade.

O que eles estão fazendo de certo?

Estão jogando futebol com os perdidos.

Estão dividindo refeições com os perdidos.

Estão lendo a Bíblia com os perdidos.

Eles nos ensinaram o que significa *discipulado*. É mais simples do que havíamos imaginado. Vida com vida. Amizades reais. Conversas difíceis. Intencionalmente missionais.

Conforme diz um de nossos pastores do ministério universitário: "Setenta e cinco por cento de todo o nosso discipulado é informal. Ensinamos nossos alunos que quase todos os passos de sua vida cristã devem ser partilhados com alguém. Quando alcançam a linha de chegada para a qual se dirigiam, devem olhar ao redor e ver três ou quatro pessoas que trouxeram consigo".

Para alcançar mais pessoas, não precisamos de técnicas melhores, mas, sim, de um foco mais intencional no discipulado.

É uma forma completamente nova de olhar para os relacionamentos.

Em busca de benefícios ou carregando o fardo?

A maioria de nós se aproxima instintivamente de todos os relacionamentos com uma pergunta básica: Como essa relação pode ajudar a completar minha vida?

Essa pessoa pode satisfazer uma necessidade relacional?

Posso aprender alguma coisa com ela?

Estar a seu lado me faz mais feliz?

Mas Paulo diz que quem entende o evangelho deve tentar ajudar a carregar o fardo dos outros (Gl 6.2). O indivíduo que só cuida de si e só busca o que pode obter dos outros está cego, diz ele.

Esqueceu-se da graça.

Esqueceu-se do quanto Jesus carregou por ele.

Pense em todos os fardos que você está carregando agora. Quantos deles são, na verdade, fardos alheios?

Nossa abordagem geral à vida pode ser uma busca por vantagens sobre os outros ou uma busca para ver como podemos carregar os fardos dos outros. O evangelho nos desafia a depor e derramar nossa vida, assim como Jesus fez por nós.

Isso é verdade especialmente em nosso país no século 21, pois, sem isso, ninguém jamais ouvirá nosso evangelho.

A cada ano, cresce assustadoramente o índice de pessoas que se identificam como não religiosas em nossa sociedade. Os peritos em sondagem da opinião pública os chamam de "*nones*" ["nenhuns"], pois não se inserem em nenhuma denominação religiosa. Alguns críticos culturais usam essas estatísticas para declarar o fim da igreja americana. E embora esse

70 O EVANGELHO ACIMA DE TUDO

temor do secularismo seja um pouco exagerado, as estatísticas de fato evidenciam uma ideia essencial: as igrejas que querem alcançar os *nones* precisam se reequipar.

Os *nones* não irão para a igreja porque o programa é envolvente, a música é *top* ou os cultos para convidados têm efeitos especiais que parecem ter saído da Disney. Os *nones* sentem que as igrejas são um mundo separado, do qual não querem fazer parte. Não que eles sintam repulsa da igreja, mas simplesmente não têm motivo para estar ali.

Certa vez, vivi em uma comunidade que era 99,97% islâmica. Eu compunha praticamente metade daquele 0,03%. Era considerado "desmesquitado". Meu apartamento ficava a menos de duzentos metros de uma mesquita. Ela estava recém-pintada, tinha um jardim bem cuidado e pessoas amistosas. Mas em nenhum momento pensei em ir ali.

Eu não iria em uma data comemorativa especial.

Não iria se estivesse passando por um momento difícil.

Não iria se o imame estivesse fazendo uma série muito útil sobre relacionamentos ou se contasse histórias bem engraçadas que me ajudassem a perceber como Alá era relevante em minha vida. Tampouco iria se eles acrescentassem percussão e uma guitarra radical às orações cantadas. O islamismo é um mundo completamente estranho ao qual claramente não pertenço. Por isso, eu nem cogitaria a hipótese de ir.

Retiro o que disse. Na verdade, visitei a mesquita uma vez porque um de meus amigos muçulmanos me convidou e eu quis demonstrar apreço por ele aprendendo mais sobre sua vida e fé.

Não deu muito certo. Precisávamos ficar sentados em uma posição desconfortável por um longo período. E todos, menos eu, pareciam saber o que fazer nos vários momentos do culto.

De repente, todos se levantavam em uníssono, deixando-me perdido até me levantar, o que fica difícil quando não se consegue mais sentir as pernas. Todos se vestiam com a mesma roupa, então minha camiseta Nike e minha calça jeans Levi's me faziam parecer bem deslocado.

Ao final de uma das orações, todos juntos cantavam "Amém". Chegou um ponto em que eu já havia entendido como funcionava, lembrando-me da época em que frequentava uma igreja batista do interior. Então cantei o amém na nota da harmonia. Ninguém mais se desviou da linha melódica.

Saí de fininho durante os anúncios finais.

Meu amigo me convidou para voltar diversas vezes, mas eu sempre achava uma razão para não ir. A mesquita era um portal para um mundo completamente distinto, no qual eu não tinha nenhuma razão ou desejo de entrar.

É meio assim que as pessoas do mundo ocidental pós-cristão se sentem em relação à igreja cristã. Um amigo britânico, Steve Timmis, cita um estudo em sua terra natal que revela que 70% dos britânicos afirma não ter intenção alguma de ir a um culto na vida. Por nenhum motivo.

Nem na Páscoa.

Nem a um casamento.

Nem a um funeral, nem na véspera de Natal.

Setenta por cento! A Grã-Bretanha pode estar alguns anos à frente dos Estados Unidos no processo de secularização, mas, levando em conta o aumento rápido da prevalência de não religiosos, é para essa realidade que nos encaminhamos também.

Isso quer dizer que, a cada ano, o número de pessoas em nossas comunidades que entrarão em nossas igrejas sem ser convidadas está diminuindo. Se não capacitarmos nosso povo a levar o evangelho para fora das igrejas, perderemos todo o contato com as pessoas não alcançadas que vivem ao nosso redor. Sem uma estratégia nova, o futuro parece cheio de megaigrejas chamativas disputando umas com as outras por pedaços maiores de uma torta cada vez menor.

Alguém precisa fazer a torta crescer!

Para avançar o ponteiro missionário, precisamos de um processo intencional que transforme descrentes em líderes da igreja, ateus em missionários.

Precisamos melhorar em fazer discípulos.

Não é tão difícil quanto se pensa

Ser cristão significa que tudo em sua vida muda, mas viver como cristão não quer dizer que você muda tudo em sua vida.

Pareceu confuso?

Ao longo do dia, os cristãos continuam a fazer a maior parte das coisas que realizavam antes de se tornar cristãos.

Ouça só:

Ser cristão não significa que você para de comer, trabalhar, viajar, ir ao supermercado, ler bons livros, assistir a bons filmes ou gastar tempo com sua família.

Cristãos ainda precisam lavar roupa.

Cristãos ainda precisam comer.

Cristãos ainda assistem a partidas de futebol.

É claro que os cristãos abordam algumas dessas coisas de maneira diferente. Em geral, porém, viver como discípulo significa abrir a vida para fazer essas coisas com os perdidos. Continuamos a fazer tudo que as pessoas normais fazem, só que agora sob o estandarte da Grande Comissão.

Discipulado significa fazer todas as coisas diárias da vida com outras pessoas enquanto caminha rumo a Jesus, passo a passo, dia após dia, refeição por refeição, conversa por conversa.

Se você pensar assim, fazer discípulos é bem simples — você só precisa trazer pessoas junto com você em sua jornada espiritual. Discipulado está mais ligado a abrir a própria vida do que a fazer alguém cumprir um programa. Se você tem hábitos cristãos na vida que valem a pena ser imitados, pode ser um discipulador. Não é necessário passar por anos de treinamento. Você apenas ensina os outros a seguir a Cristo assim como você o segue (1Co 11.1).

Rosaria Butterfield, que eu apresentarei de maneira mais completa no capítulo 6, diz que o lar é o instrumento evangelístico mais importante na caixa de ferramentas do cristão, sobretudo se o objetivo é alcançar pessoas que estão longe de Deus. É no lar que o não cristão sente o calor da aceitação divina. É no lar que ele pode ver nossa vida de perto o bastante para querer saber a razão da esperança que habita em nós. É no lar que transformamos "estranhos em próximos e próximos em família".

Rosaria destaca que a grande maioria dos encontros pessoais de Jesus com os perdidos aconteceu durante refeições em lares. Aliás, ela conta que, nos Evangelhos, Jesus sempre parece estar saindo de uma refeição ou a caminho de uma. Ele meio que passa o Evangelho inteiro de Lucas comendo.

Esse é um Salvador que me empolgo em seguir!

É assim que alcançaremos as pessoas com o evangelho de maneira mais eficaz hoje.

Tecnicamente, a Grande Comissão diz: "*Enquanto está indo, faça discípulos*". Em outras palavras, Jesus presumia que a vida em si abriria o contexto para fazer discípulos.

Enquanto você vai, leia a Bíblia

Pedi a um dos melhores discipuladores que eu conheço que partilhasse comigo seu método de discipulado. Eu esperava um currículo sofisticado com uma técnica cirúrgica. Em vez disso, ele me mandou uma lista escaneada de 31 versos bíblicos que ele digitou em um processador de texto lá na década de 1980. Contou-me então que ele entrega essa lista para a pessoa e lhe pede que anote, ao lado de cada uma das referências, o que Deus pode estar dizendo para ela por meio da passagem. Então tem um encontro semanal com a pessoa a fim de conversar sobre as respostas. Depois, pergunta se quer ler um livro da Bíblia juntos e fazer o mesmo.

É isso.

Nenhum ingrediente secreto, nenhum choque eletrizante de genialidade discipuladora, nenhuma fórmula mágica, nenhum truque intelectual Jedi. No entanto, praticamente toda vez que nossa igreja tinha um batismo, esse discipulador havia se envolvido com a decisão de uma das pessoas ali — ou diretamente ou por meio de alguém que ele havia conduzido a Cristo no passado. Fim de semana passado, conheci um cara que foi conduzido a Cristo por um cara que foi conduzido a Cristo por um cara que foi conduzido a Cristo por um cara que foi conduzido a Cristo por um cara que foi conduzido a Cristo por um cara que foi conduzido a Cristo por esse cara. Não sei se você contou, mas são seis gerações! Isso significa que ele já é um hexavô e não tem nem cinquenta anos ainda!

Ah, ele não se formou em um seminário.

E você?

Ao transitar pelo ritmo normal da vida, convide alguém para fazer a jornada a seu lado e ler a Bíblia junto com você.

A MISSÃO DO EVANGELHO **75**

Deixe as pressões da vida, a Palavra de Deus e o Espírito Santo levarem o fardo pesado. Você ficará surpreso com os resultados.

Talvez você seja bom em muitas dimensões da vida cristã, mas é bom em fazer discípulos? Consegue apontar para outros servindo na missão agora que não eram convertidos quando você os conheceu? Você está se reproduzindo?

Que tragédia se passarmos a vida inteira ocupados fazendo coisas boas, mas negligenciando a única que Jesus nos disse ser fundamental, aquilo que ele chamou de *Grande Comissão*!

Os números não mentem

Já imaginou que maravilhoso ser olheiro de um grande time de beisebol como o Red Sox, de Boston?

Mike, um bom amigo meu, é.

Quando as pessoas descobrem isso, de repente ele se torna o cara mais interessante do mundo. Todo mundo conhece alguém (ou é alguém) que poderia ter se tornado jogador profissional caso alguém os tivesse descoberto na época certa.

Uma vez, enquanto almoçávamos, um garçom perguntou se poderíamos encontrá-lo depois de comer para vê-lo arremessar. Ele queria que Mike visse se valia a pena ele participar de um acampamento de treinamento intensivo. Mike aceitou. Eu lhe disse que, se fosse um daqueles momentos de descoberta contados nos livros, em que o garçom negligenciado se torna o maior jogador de todos os tempos, quando fizessem o filme no futuro eu gostaria que o Nicolas Cage fosse escalado para interpretar meu personagem.

Pensando bem, eu deveria ter colocado isso no papel.

Mike é olheiro do Red Sox há mais de uma década, e a equipe deixou de ser o time que sofria um jejum histórico

76 O EVANGELHO ACIMA DE TUDO

para vencer quatro das últimas quinze World Series. Ele me conta que ser olheiro hoje é bem diferente do que no passado. Tem menos a ver com instinto puro e mais com análise estatística avançada. O mesmo se aplica a outros esportes também. Há vinte anos, um olheiro da NBA avaliava os jogadores com base na altura, número de cestas, rebotes e assistências por partida, bem como no *feeling* que tinha ao observá-los. Hoje tudo está ligado ao "índice de eficiência do jogador" e às cestas ou rebotes por minuto.

Por quê? Porque temos mais números precisos do que nunca, e os números não mentem.

O mesmo se aplica a nossas igrejas e denominações. Nossos congressos e cultos podem *parecer* melhores do que nunca, mas os números não mentem.

O número de membros e batismos nas igrejas evangélicas continua a diminuir ano após ano.

Apenas na Convenção Batista do Sul, o total de membros diminuiu em mais de duzentos mil de 2016 para 2017, e o número de batismos teve uma queda de quase 10%.

A proporção de membros das igrejas batistas do sul para batismos é de chocantes 59 por 1.

Pense nisso!

Para cada praticamente sessenta membros da maior denominação protestante dos Estados Unidos, há somente um novo batismo por ano. Precisamos mesmo de sessenta de nós para conduzir *uma* pessoa a Cristo?

Cristãos de todo o espectro denominacional simplesmente não estão compartilhando sua fé e fazendo discípulos. Em uma pesquisa da LifeWay realizada entre protestantes norte-americanos, 78% dos membros de igrejas disseram haver compartilhado sua fé com exatamente zero pessoas nos últimos seis meses.[2]

Zero.

Em seis meses.

É difícil para mim pensar em um tema importante em minha vida sobre o qual eu *não* tenha falado ao longo de seis meses — seja uma paixão positiva ou negativa.

Cebola do Outback: positivo.

Uso apropriado da vírgula: positivo.

Filmes com Nicolas Cage: difícil explicar quão positivo.

Minha incapacidade crescente de ler letras pequenas: negativo.

Medo de pegar algum verme por ter comido uma maçã sem lavar: negativo.

O desempenho do meu time nos últimos campeonatos de basquete: o pior.

Não consigo pensar em nada que seja importante para mim que não tenha sido motivo de conversa por seis meses.

Todavia, essa é a realidade da maior parte de nosso povo no que diz respeito a compartilhar a fé. Acreditam que o evangelho é o poder para a salvação. Acreditam que devem partilhar o evangelho com os outros. Mas isso não está acontecendo. Qual é o problema?

As mudanças em como administramos a igreja não irão adiantar se não abordarmos o problema central: não estamos fazendo discípulos que fazem discípulos. Nossas igrejas passaram por uma revolução de sensibilidade aos interessados, inovações em cultos para convidados, avanços tecnológicos e grande aprimoramento em nossas experiências de adoração. No entanto, se olharmos para o canal de discipulado, tudo parece congelado.

78 O EVANGELHO ACIMA DE TUDO

Sermões, livros e *podcasts* são ótimos, mas certas dimensões do discipulado só podem acontecer no contexto dos relacionamentos. Discípulos são formados por discipuladores — de maneira intencional e pessoal, uma alma de cada vez.

Não existe atalho.

Falta de estratégia

O mais trágico é que a maioria das igrejas nem tem uma estratégia explícita para lidar com isso. Em nossa igreja, adotamos o lema: "Existimos para criar um movimento de discípulos discipuladores em nossa cidade e ao redor do mundo". Desenvolvemos *slogans* que repetimos *ad nauseam*, como: "Cada membro, um missionário" e "Nosso sucesso se mede pela capacidade de envio, não pelo número de bancos lotados". Dizemos que as melhores ideias de ministério estão na congregação e terminamos cada culto com: "Você foi enviado". Tentamos inculcar em cada membro da Summit Church a ideia de que a Grande Comissão *lhe* pertence. É preciso tempo, repetição e intencionalidade para criar uma cultura, mas isso é algo que desejamos desesperadamente criar.

> O avanço do evangelho acontece quando pessoas comuns são capacitadas pelo Espírito de Deus.

Foi a cultura que produziu o maior avanço missional da história.

O evangelho não progrediu na igreja primitiva por meio de cristãos profissionais e pastores especialistas. O evangelho se espalhou graças ao poder de Deus na vida de pessoas normais e por intermédio delas. O avanço do evangelho acontece quando pessoas comuns são capacitadas pelo Espírito de Deus

A MISSÃO DO EVANGELHO **79**

e marcham adiante no mundo, demonstrando a generosidade de Jesus, o perdão disponível por meio da cruz e a esperança eterna de seu reino vindouro.

Sua igreja já possui um caminho claramente delineado para fazer discípulos discipuladores?

Na igreja em que cresci, saíamos para ganhar almas toda quarta à tarde. Eu fui salvo em uma sexta-feira e saí para a primeira campanha de ganhar almas na quarta seguinte. Foi meu primeiro ato de santificação! Por causa dessa prática, dois anos depois de ter me tornado cristão, eu já havia partilhado o evangelho dezenas e talvez até centenas de vezes.

A maioria das igrejas se afastou dessa metodologia de porta em porta, talvez por um bom motivo. *O problema é que não a substituímos por nada.* Como as pessoas de nossa igreja estão aprendendo a partilhar o evangelho, e como estão ganhando experiência nisso?

Quando chega a hora dos "pedidos de oração", um número significativo de pedidos é sobre pessoas que ainda não conhecem a Cristo com quem os outros membros do pequeno grupo estão falando do evangelho? Ou sobre a tia-avó Ruth, que passará pela remoção de um nódulo esquisito das costas na próxima terça? Às vezes chamávamos nossos cultos de oração nas noites de quarta de "recital de órgão", pois recebíamos todo tipo de notícia sobre os órgãos do corpo dos parentes dos membros da igreja. E se, em vez de um recital de órgãos, orássemos com fé e ousadia por nossos amigos, vizinhos e familiares que ainda não conhecem Jesus?

Mais uma vez: *Se Deus respondesse, de uma só vez, a todas as orações que os membros de sua igreja fizeram na última semana, quantas novas pessoas estariam no reino?*

Falta de crença

Talvez não seja falta de estratégia.

Talvez seja mais básico do que isso.

Talvez seja a boa e velha descrença.

Acredito que muitos cristãos não compartilham o evangelho porque não estão convencidos, lá no fundo do coração, de que as pessoas *realmente* vão para o inferno.

O credo que endossam pode afirmar isso, mas funcionalmente são universalistas. Em seu íntimo, presumem que Deus nivela as notas por baixo e as pessoas mais sinceras e bondosas de qualquer religião acabarão no paraíso.

Deus é um Deus de amor, certo?

Posso ser franco por um instante? Eu também tenho essa dificuldade. Na verdade, nunca percebi como minha falta de crença verdadeira estava enraizada até conhecer Rhonda.

Rhonda tinha vinte e poucos anos e havia crescido no nordeste dos Estados Unidos, bem longe da região onde fui criado, o chamado Cinturão da Bíblia. Mesmo na atualidade é difícil encontrar um americano que nunca tenha ouvido nada sobre cristianismo. Mas esse era o caso de Rhonda.

Por isso, comecei com o básico: quem é Deus, por que Jesus veio e como podemos aceitá-lo como Senhor e Salvador. Ela me fez muitas perguntas. Mas eu não estava preparado para seu último questionamento.

— Você acredita mesmo nisso?

— Claro que sim — respondi.

Então ela falou:

— Porque você não age como se cresse. Se eu acreditasse no que você está dizendo, que todas as pessoas em minha vida que não conhecem Jesus estão separadas do amor de Deus e se encaminhando para o inferno, não sei como conseguiria chegar ao fim do dia. Estaria de joelhos o tempo inteiro suplicando para as pessoas ouvirem.

Ela continuou:

— Você não parece incomodado com isso. Explica bem os detalhes, mas parece uma questão filosófica, não o que você afirma ser, isto é, um problema de vida ou morte.

Senti como se tivesse levado um soco na boca do estômago. Eu sabia que ela estava certa.

Se cremos mesmo no que a Bíblia diz sobre o evangelho — tanto nas boas-novas quanto nas más notícias que as antecedem — como nosso coração pode permanecer indiferente? Certa vez, um estudante perguntou a Charles Spurgeon se alguém que jamais havia ouvido falar de Jesus poderia se salvar.

"É uma pergunta realmente complicada", disse ele. "Ainda mais complicado, porém, é se nós, que conhecemos o evangelho e não fizemos nada para levá-lo aos perdidos, nos salvaremos."

Silêncio constrangedor.

O amigo que citei acima e descrevi como um dos discipuladores mais eficazes que já conheci, diz que o evangelismo de sucesso não está ligado ao tipo certo de personalidade, nem à adoção do programa certo, mas, sim, a duas convicções:

Convicção 1: A salvação pertence a Deus.

Convicção 2: A fé vem pelo ouvir.

A crença na primeira convicção o liberta do fardo de sentir que o fardo recai todo sobre você, como se você precisasse dizer as coisas certas da maneira certa nas horas certas a fim de despertar a fé no coração de alguém. Deus faz isso! Que libertador!

Mas a crença na segunda premissa faz você perceber que Deus escolheu *nos* usar para levar pessoas a Jesus por meio do nosso testemunho. Não existe outro caminho, nem plano B. Em Atos, o evangelho é proclamado somente a partir de bocas humanas. Deus produz fé no coração das pessoas, mas ele só o faz por meio da Palavra que semeamos nelas. Que motivador!

Mostre-me alguém que acredita verdadeiramente em ambas as verdades e eu lhe mostrarei alguém que provavelmente partilhou de Cristo com o próximo.

Como impactar com o evangelho em uma era distraída

A seguir, um *insight* que nunca foi incluído no *Manual de crescimento das megaigrejas*:

> *A visão de Jesus para a expansão rápida da igreja*
> *não girava em torno de comunicadores hipertalentosos*
> *reunindo um grande grupo de pessoas que se assentam*
> *maravilhadas diante de seus métodos de ensino, mas, sim, de*
> *membros comuns levantados e enviados no poder do Espírito.*

Pessoas comuns com o evangelho nos lábios e o Espírito no coração catalisam com maior eficácia o movimento de formação de discípulos em todos os caminhos e valas de cada nação do planeta.

Permita-me uma breve pausa de falar do Nicolas Cage — o maior ator de nossa geração — para fazer menção a um competidor distante, Tom Cruise.

Prometo que vai fazer sentido.

Tom Cruise é famoso por dispensar dublês em suas sequências de ação incessante cheias de adrenalina, chegando ao ponto de se machucar nesse processo. No entanto, no último filme da franquia *Missão Impossível* (deve ser o de número

403), Cruise se tornou o primeiro ator a fazer um salto usando a técnica HALO diante das câmeras.

A sigla HALO significa "High-Altitude, Low-Open", ou seja, alta atitude e baixa abertura. Nela, o paraquedista abre o paraquedas bem perto do solo, após permanecer em queda livre por um período estendido. No exército, a técnica HALO pode ser usada para entregar equipamentos ou suprimentos em território inimigo sem ser detectado. Assim, o método protege a carga, o pessoal e o avião. Mas, como você já deve estar imaginando, é tremendamente arriscado.

E Tom Cruise realmente fez isso. Mesmo depois de quebrar o tornozelo anteriormente na produção do mesmo filme. E o fez *diversas vezes*. Cruise e sua equipe saltaram 106 vezes para registrar as três cenas da sequência final que aparecem no filme.

É impressionante. Mas há algo que precisamos saber: *evangelismo não é um salto HALO.*

O evangelismo não acontece da melhor maneira por meio de pequenos ataques sorrateiros em territórios desconhecidos, mas, sim, no contexto dos relacionamentos da vida normal.

Rosaria Butterfield orienta: "Pare de pensar no testemunho ao próximo como incursões evangelísticas furtivas na vida pecaminosa que os outros levam".[3] O evangelismo é mais bem feito na forma do testemunho verbal que damos no contexto de uma vida que vivemos diante deles.

Nossa maneira de nos relacionar em família, fazer negócios, tratar os vizinhos e apoiar nossa comunidade *realça* a mensagem. No contexto da vida normal, podemos equiparar a força de nossas palavras com a força de um relacionamento — algo absolutamente fundamental em uma era pós-cristã.

Nossa vida importa.

Não somos Tom Cruise, tentando entrar, entregar um pacote e cair fora.

Tim Keller compara isso a descobrir que o novo pastor da igreja, capaz de pregar sermões extraordinários e cativantes, é abusivo com a esposa e desonesto em suas práticas trabalhistas. De repente, os sermões perdem o apelo. E o contrário também é verdadeiro. É muito mais fácil confiar em um pastor cujas habilidades de oratória são medíocres, mas cuja vida revela consistência e ele demonstra compaixão genuína em seus momentos de dor.

Em uma era de ceticismo, a conexão relacional é crucial para vencer as barreiras à crença.[4]

Isso é ainda mais crucial porque nossa cultura sofre com outro mal que talvez seja ainda mais danoso que a descrença:

A distração.

Vá em frente — confira o celular para ver se algum de seus amigos publicou uma foto nova no Instagram ao longo dos últimos 8,4 segundos desde que você olhou pela última vez.

O professor Alan Noble explica que, em nossa era de distrações excessivas, somente um testemunho disruptivo consegue chamar atenção. "Creio que a convergência de duas grandes tendências em nossa época", afirma ele, "requerem uma nova avaliação das barreiras à fé." Segundo Noble, as duas grandes tendências são:

1. Um dilúvio infinito de estímulos de celulares, Netflix, conforto em todas as suas formas e parques de diversão cheios de adrenalina que oferecem gratificação instantânea e desestimulam a reflexão e meditação.

2. O crescimento do secularismo, no qual o teísmo é visto como uma entre muitas escolhas viáveis para a

satisfação humana, mas na qual a conexão verdadeira com Deus parece cada vez menos plausível.[5]

O resultado dessas tendências é que, quando falamos do cristianismo, não podemos presumir que nossos ouvintes entendem a fé como algo diferente de qualquer outra opção entre uma gama de alternativas para a realização pessoal. Os sociólogos dizem que "lemos" mais palavras do que nunca antes, mas não lemos de fato. Apenas damos uma olhada. Surfamos. Nada se aprofunda de verdade.[6] Em um mundo assim, é preciso repensar como nos comunicamos a fim de realizar a obra de testemunhar e defender a fé.[7]

Em outras palavras, há um motivo para nossas táticas de evangelismo de porta em porta não darem mais muitos frutos.

Pense em um culto evangelístico, digamos, no Texas em 1970. O evangelista fervoroso pergunta: "Se você morrer esta noite, onde passará a eternidade?". (Sempre achávamos que as pessoas morriam à noite naquela época. Vai entender por quê...)

Mas até mesmo uma pergunta aparentemente simples como essa se baseia em muitos pressupostos compartilhados. O ouvinte deve presumir que existe vida após a morte e que nem todos irão para o mesmo lugar.

Precisa crer que existe algum padrão, alguns critérios que determinam para onde iremos.

Naquela época, mesmo que o leitor não acreditasse em Jesus, ele pelo menos entendia as cláusulas. O cristianismo era, no passado, a lente básica através da qual a sociedade ocidental enxergava o mundo. Mas hoje é apenas uma entre muitas opções.

Além disso, a década de 1970 era silenciosa o bastante — sem celulares, *notebooks*, *tablets*, Netflix, TikTok ou Instagram

— para presumir que nossos ouvintes teriam tempo e espaço mental para refletir sobre tais questões. Hoje temos uma cultura projetada para nos impedir de refletir sobre qualquer coisa. Enquanto você está na porta da frente perguntando à pessoa sobre os destinos eternos, o episódio da Netflix está em pausa, aguardando para ser retomado. E quando ele acabar, o serviço de *streaming* passará automaticamente para o próximo. Caso se entedie com o programa, há outros cinco na fila prontos para ocupá-lo até a hora de dormir (ou depois). Ou ele pode simplesmente voltar para as redes sociais enquanto o sétimo episódio, meio chato, ainda está passando. Sempre tem uma manchete impressionante piscando. Alguém em algum lugar disse a coisa mais absurda que requer nossa atenção imediata. Ou é possível apenas dar uma olhada nas fotos das férias publicadas pela enteada do veterinário da namorada do filho da melhor amiga.

Mesmo que você consiga travar um bom diálogo na varanda, a pessoa provavelmente dedicará pouco tempo para pensar e refletir a respeito do que você disse.

Temos uma sociedade aparentemente planejada para eliminar o espaço de reflexão.

No caminho para o trabalho amanhã, teremos rádio tocando música, apresentando notícias ou *podcasts* para preencher o vazio. Se caminharmos no fim do dia, provavelmente haverá um audiolivro tocando no celular. Enquanto fazemos jantar, pedimos à Alexa que nos atualize com as principais manchetes do dia. Ou que nos diga quais foram as notícias mais estranhas. No *shopping* próximo a minha casa, música e anúncios são tocados em alto-falantes colocados em meio aos jardins, para que nem mesmo a caminhada de dez segundos entre a Apple Store e a livraria seja feita em silêncio!

E não se esqueça do supercomputador que você carrega no bolso. Aquele que já vibrou com seis notificações desde que você começou a ler este capítulo. Esse pequeno aparelho nos conecta a dois bilhões de seres humanos ao redor do mundo por meio de um único aplicativo — o Facebook.

Não é de se espantar que estejamos distraídos.

A moral da história é que não há muito espaço para meditação e reflexão ao longo do dia. E isso significa um desafio e tanto para as conversas sobre o evangelho.

O filósofo francês Blaise Pascal, que viveu no século 17, não poderia imaginar o mundo de distrações em que vivemos. Ainda assim, ele reconhecia a tendência no coração humano de evitar as questões mais pesadas da vida. Dizia que a vida é uma festa gigantesca, cheia de pessoas felizes, música alta e dança. No meio dessa festa, porém, em intervalos aleatórios, um monstro invade as portas, pega ao acaso um participante e o despedaça na frente de todos, arrastando para fora em seguida o cadáver ensanguentado. Isso acontece com regularidade suficiente para as pessoas perceberem que, em breve, o monstro pegará todos. Quando a cena de horror acontece, todos observam pasmos, tão somente para voltar à frivolidade assim que o monstro sai de cena.

Esse monstro é nossa morte iminente. E ele virá para cada um de nós.

Pascal achava absurdo viver sem refletir sobre a morte. Nós, a raça humana, não gostamos de pensar no quanto a vida é curta. As distrações são nosso mecanismo de enfrentamento preferido. Mas isso não importa — o monstro de Pascal continua à solta, assolando as pessoas ao nosso redor.

Enquanto isso, nossos olhos permanecem grudados nos pequenos retângulos brilhantes dentro do bolso.

Pregações melhores não conseguirão romper essas barreiras. Só uma coisa é capaz de fazer isso:

A presença.

Só podemos superar as barreiras singulares de nossa era moderna se nos envolvermos o suficiente na vida de alguém — mesmo que isso signifique mais gente à mesa de jantar e uma agenda diária mais ocupada — a fim de falar as palavras certas nos momentos certos. Deus continua a criar circunstâncias que levam as pessoas a fazer as perguntas eternas. Mas se não tivermos desenvolvido um relacionamento com elas quando isso acontecer, o mais provável é que elas se distraiam e se ocupem com outra coisa antes de procurar a resposta.

Deus esteve e está presente em nosso meio. Devemos fazer o mesmo uns com os outros.

É por isso que contar com pessoas comuns comprometidas em se tornar discipuladores é o único plano de Deus para o futuro da igreja neste país — e em qualquer outro lugar do mundo. Permita-me sugerir três compromissos simples que, se fizermos, creio que levarão a um verdadeiro impacto com o evangelho em uma era distraída.

1. Precisamos conhecer o evangelho

Parece óbvio, mas precisamos conhecer o evangelho a fim de compartilhá-lo bem. O escritor e pastor Jeff Vanderstelt explica que, a fim de compartilhar bem o evangelho, precisamos ser tão fluentes nele quanto em qualquer outra língua. A grande maioria dos cristãos não é. Conseguem até articular umas poucas frases truncadas, mas não com a precisão de tom e pronúncia que a fluência traz.

Quando você pergunta ao cristão médio o que é o evangelho, escuta um amálgama mal feito de jargão espiritual, conceitos morais e disciplinas espirituais.

Precisamos ser fluentes no evangelho. É fundamental que o entendamos direito e tenhamos o conhecimento de como compartilhá-lo com habilidade e precisão.

Por quê? Porque um falso evangelho não salva ninguém. Se o evangelho é o poder de Deus para a salvação, então entendê-lo errado impede que as pessoas acessem seu poder.

Pedro disse aos líderes judaicos que ninguém poderia se manter em silêncio em relação a Jesus porque "não há nenhum outro nome debaixo do céu, em toda a humanidade, por meio do qual devamos ser salvos" (At 4.12). Jesus disse a Tomé: "Eu sou o caminho, a verdade e a vida. Ninguém pode vir ao Pai senão por mim" (Jo 14.6).

Não há nenhum outro poder.

Não há nenhum outro nome.

Não há nenhum outro caminho.

Só Jesus.

Certa vez, ouvi a história trágica de alguns adolescentes que tiveram a péssima ideia de pregar uma peça pintando por cima das faixas de uma estrada rural montanhosa. O resultado foi tão previsível quanto terrível. Em uma noite de visibilidade ruim, um ônibus errou a curva e caiu pelo penhasco à beira da estrada, matando todos que estavam dentro. Ouvimos uma história como essa e pensamos: "Por que alguém faria algo tão estúpido e perigoso?".

Mas não podemos ser culpados do mesmo mal?

Precisamos deixar claros os limites da estrada para o céu.

Precisamos entender direito o evangelho.

2. Precisamos conhecer nosso contexto

O segundo compromisso que necessitamos fazer para um evangelismo eficaz é conhecer nosso contexto. Alan Noble está certo ao dizer que vivemos em um mundo diferente de trinta, cinquenta ou cem anos atrás. Para falar a verdade, com os avanços tecnológicos na velocidade em que acontecem, praticamente vivemos em um mundo diferente a cada *dez* anos!

Atualizei meu computador há pouco tempo — mesma marca e modelo de antes, apenas uma versão mais nova — e agora minha fonte antiga não funciona mais. Sério? Precisei comprar toda a parte de conexão com a eletricidade. O que está acontecendo? A torradeira tem literalmente o mesmo tipo de conexão com a tomada desde que foi inventada em 1893. Por que meu computador não pode fazer o mesmo?

Mas uma sociedade em transformação significa que as perguntas feitas pelas pessoas são diferentes, assim como suas formas de ouvir, se comunicar e expressar a verdade. Nosso evangelho continua o mesmo, mas a maneira de transmiti-lo não.

No seminário que fiz sobre missões em terras estrangeiras, o professor explicou que a tarefa do missionário é extrair a água da vida eterna do copo de nossa cultura e colocá-lo no copo da cultura que estamos tentando alcançar. Esse processo se chama "contextualização" e pode ser complicado. Por um lado, não queremos diluir, nem mudar a verdade. Se a verdade for perdida, o poder de Deus se perde junto. Em contrapartida, não queremos apresentar nossas preferências culturais como se fossem ordens divinas e padrões espirituais para todos os povos de todos os tempos. As palavras mais fortes de Paulo em suas epístolas se dirigiram a quem apresentava tradições culturais como se fossem doutrinas essenciais ao evangelho.

Os missionários em terras estrangeiras têm esse tipo de debate há anos. Muitos de nós precisamos entrar nesse diálogo dentro de nosso próprio contexto.

Abordaremos os detalhes envolvidos nisso no capítulo 8. Por ora, basta dizer que não há como escapar da contextualização. Todos fazemos isso, mesmo sem perceber.

Cresci ouvindo alguns pastores reclamarem daqueles que comprometiam a integridade do evangelho com "novas técnicas" e concessões culturais profanas — tudo isso enquanto pregavam em um púlpito de madeira, usando terno e gravata depois de cantar acompanhados por um órgão de tubos.

Alguma dessas coisas estava presente no primeiro século quando Jesus fundou a igreja? Esses elementos do culto são igualmente contextualizados, apenas a uma cultura diferente.

O evangelho, porém, não chegou pela *primeira vez* a nós em um púlpito no Alabama em 1970. Ele veio à humanidade no Oriente Médio há dois mil anos, e missionários fiéis têm buscado contextualizá-lo às culturas para as quais são enviados desde então.

Mudar o estilo, o sistema e o tipo de culto para alcançar novas gerações ou novas culturas é difícil, mas fica mais fácil quando você de fato ama aqueles que está tentando alcançar. Quando você ama alguém de verdade, sente vontade de remover qualquer obstáculo desnecessário que impeça a pessoa de se entregar a Jesus.

Mas estou me adiantando. Pode deixar que volto a esse assunto no capítulo 8.

Um terapeuta familiar me disse certa vez que, se eu quisesse ser um bom marido, deveria me tornar um estudioso dedicado, vitalício e fervoroso de duas coisas: da Bíblia e de minha esposa. Não basta saber o que a Bíblia ensina sobre o casamento. Eu preciso conhecê-la também — o que a motiva, agrada, conforta e lhe dá confiança.

O mesmo se aplica ao evangelismo. Não podemos *apenas* amar a Bíblia. Devemos amar os perdidos também, o bastante para "estudá-los", o bastante para estar dispostos a fazer o que for necessário para alcançá-los.

3. Precisamos conhecer a urgência

Já mencionamos a Nike uma vez. Mas vale a pena relembrar aqui o famoso *slogan* da marca.

Just do it. Apenas faça.

É uma expressão útil para trazer à memória quando estiver em busca de motivação para se levantar e agir. Pare de dar desculpas. Pare de esperar o momento certo. Apenas faça.

O *slogan* da Nike também é um ótimo lema para como devemos pensar em evangelismo. Temos, é claro, todas as desculpas:

Não tenho o dom espiritual do evangelismo. Sim, mas um dom espiritual é (normalmente) apenas uma capacitação especial para um dever concedido a todos os cristãos. Algumas pessoas, por exemplo, têm o dom da fé. Isso quer dizer que possuem habilidade especial de perceber o que Deus deseja fazer em um momento e confiar que ele o fará. Isso não quer dizer que as pessoas sem esse dom estão dispensadas de demonstrar fé. O mesmo se aplica ao dom da generosidade. Algumas pessoas o têm e demonstram habilidade sobrenatural de doar no momento certo e da maneira certa. Isso não quer dizer que todos os cristãos não tenham o dever de ser generosos. Com o evangelismo não é diferente.

Eu me sinto desconfortável. É claro que você se sentirá assim. Minha definição preferida de *evangelismo* é: "Duas pessoas bem nervosas falando uma com a outra". Mas você não acha que, pela alma de alguém, vale a pena arriscar um pouco de desconforto?

Eu provavelmente direi a coisa errada. É provável que sim. Mas Deus usou uma jumenta para falar com um homem, então há esperança para você. E para mim também.

Eu não direi a coisa errada, pois simplesmente ficarei paralisado em silêncio. Você se surpreenderá com o quanto o Espírito Santo orienta quando você se coloca à disposição dele. Ele o guiará com perguntas e *insights*. Mas tem um detalhe: *o insight só chega para quem toma a iniciativa de começar a conversa!* Chamo isso de "filosofia de testemunho Michael Jordan" (registro pendente!). Certa vez, perguntaram ao homem das acrobacias se ele visualizava todos os movimentos malucos e performáticos que faria em suas enterradas antes de entrar em quadra.

"Não", respondeu Jordan. "Eu apenas pulo e decido no ar."

Dê o pulo e o Espírito Santo assumirá o controle. Já aconteceu comigo centenas de vezes.

Farão uma pergunta que eu não sei responder. Provavelmente. Isso acontece comigo até hoje. Uma boa notícia é que até os apóstolos às vezes tinham dificuldade em responder a certas perguntas. Leia a história de Pedro e João se defendendo perante o Sinédrio em Atos 4.1-22. Após ouvi-los se explicar, os líderes religiosos presumiram que eles eram "homens comuns, sem instrução". A boa notícia é que não é preciso ter todas as respostas para proclamar a mensagem com poder. Os apóstolos jamais levaram pessoas a seguir Jesus porque sabiam as respostas para todas as perguntas. Eles as conduziam a aceitá-lo *porque Jesus ressuscitou dos mortos.* Não somos filósofos cuja missão é explicar os mistérios da vida, mas, sim, testemunhas com a tarefa de apontar para o túmulo vazio. Já ouvi dizer que a fé acontece quando o inexplicável se encontra com o inegável. Somos enviados como testemunhas da ressurreição inegável.

Eu posso afastar meu amigo. Sim, é possível. Mas você se importa o suficiente com seu amigo para arriscar a perda do relacionamento se isso significar o potencial de salvar a alma dele?

Penn Jillette, ateu e mágico de Las Vegas, disse em um vídeo[8] que viralizou no YouTube que não entendia por que seus amigos ateus ficavam bravos com cristãos que falavam de Jesus com eles.

"Fico bravo quando eles *não* falam", disse. "O quanto é preciso odiar alguém para crer no que você crê sobre Jesus e *não falar com o outro?*"

Todas essas coisas e muitas outras acontecerão ao longo de uma vida de proclamação do evangelho. Mas não nos deixaremos deter.

O apóstolo Paulo escreveu em 2Coríntios 4.7: "Agora nós mesmos somos como vasos frágeis de barro que contêm esse grande tesouro. Assim, fica evidente que esse grande poder vem de Deus, e não de nós".

Você se sente como um vaso de barro velho e sujo? Tudo bem. Os vasos não são valiosos por causa de seu material, mas, sim, pelo que contêm.[9]

Talvez nós não impressionemos. Quem sabe rachemos quando pressionados. Mas isso é de propósito. O grande objetivo é Deus usar mensageiros frágeis como nós para colocar em evidência a glória dele, não a nossa.

Alguns de meus encontros evangelísticos mais poderosos aconteceram quando eu realmente pensei que havia fracassado. Em contrapartida, alguns dos sermões que eu achei absolutamente fantásticos produziram pouco fruto. Houve ocasiões em que achei a mensagem tão ruim que corria o risco de ter o chamado revogado; inevitavelmente, porém, essas são as mensagens que alguém me diz que mudaram sua vida.

Não acho que isso acontece por acidente. Creio que seja o senso de humor de Deus. Às vezes, ele orquestra sua atuação dessa maneira para me lembrar de que eu não passo de um jarro de barro desajeitado.

Então não se preocupe, amigo. Você vai cometer erros. Vai se sentir desconfortável. É provável que até sinta alguma tensão relacional nesse processo.

É assim com todos.

Mas sua tarefa não é produzir histórias impecáveis e perfeitas de conversão.

Essa é a função de Deus. A salvação pertence a ele.

Apenas seja fiel e compartilhe o evangelho. Pois a fé vem somente pelo ouvir.

Essa é sua parte.

Apenas faça!

Quem é sua pessoa?

Em 1954, a Convenção Batista do Sul definiu a meta de ter um milhão de pessoas na escola dominical. Se você não sabe o que é escola dominical, pergunte a seus pais.

A campanha recebeu o título de "Mais um milhão em 54". Foi uma meta ousada e imensa. Mesmo não tendo alcançado um milhão, conseguiram trazer seiscentas mil pessoas novas batizadas e participando da igreja naquele ano. Muitas delas aceitaram a Cristo pela primeira vez.

96 O EVANGELHO ACIMA DE TUDO

É isso que acontece quando se promove uma visão daquilo que é possível.

Em tempos recentes, nós da Summit Church tentamos fazer algo parecido.

Pedimos a cada membro de nossa congregação que identificasse uma pessoa para orar e buscar trazer a Cristo ao longo do ano.

Apenas uma.

A frase que repetíamos bastante era: "Quem é sua pessoa?".

Não é uma ideia elaborada ou complicada. Comece a orar por uma pessoa com quem você pode fazer amizade, convidar para vir à igreja e compartilhar Jesus. Ou faça o compromisso de convidar pelo menos um não cristão para fazer uma refeição em seu lar no mínimo uma vez por mês.

Não vale contar os filhos.

Essa ideia simples levou ao ano mais eficaz na área evangelística na história de nossa igreja. Batizamos setecentas pessoas naquele ano. Foi extraordinário ver as pessoas de pé no tanque batismal com o recém-convertido e me contarem depois: "Era ela! Ela era minha pessoa!".

O melhor pedido de oração que já ouvi de um membro foi: "Pastor, acabamos de batizar minha *pessoa*! Você ora por mim, para que Deus me dê *outra*?".

E se todo cristão fizesse o compromisso de orar de maneira específica e fervorosa por uma pessoa, com o objetivo de partilhar Jesus com ela de forma intencional ao longo do ano?

E se pelo menos os *pastores* fizessem isso?

O impacto seria estarrecedor!

Então, quem é a SUA pessoa?

Você está disposto a pedir a Deus agora mesmo que revele alguém para você?

4

A multiplicação do evangelho

....

Fazer discípulos [...] é um processo confuso.
Às vezes, demora, entedia e até dói. É tudo isso por ser
relacional. Jesus não nos deixou uma fórmula passo a
passo para impactar as nações para sua glória. Ele nos
deu pessoas e disse: "Viva por elas. Ame-as, sirva-as e
conduza-as. Conduza-as a me seguir e a conduzir outros
a me seguir também. Ao fazer isso, você multiplicará o
evangelho até os confins da terra".

DAVID PLATT, *Radical*

Dizem que o sonho recorrente de aparecer pelado em algum lugar revela uma insegurança subconsciente em relação a defeitos pessoais. Tenho essa sensação em muitos domingos quando me levanto para pregar porque a região de Raleigh--Durham tem a maior concentração de pessoas com doutorado em todo o país, então sei que muitas das pessoas sentadas na congregação são muito, muito mais inteligentes do que eu.

Veja o exemplo de uma jovem que eu conheci e que trabalha como enfermeira na seção de cardiologia do Hospital Duke. Ela se mudou para Durham deixando para trás seu estado natal, Indiana, onde fez faculdade e foi escolhida como oradora da turma. Recentemente, descobri que ela ganhou o concurso regional de soletrar durante o Ensino Fundamental. E ficou em segundo lugar no concurso estadual.

98 O EVANGELHO ACIMA DE TUDO

É claro que, ao ouvir isso, fiquei pensando o mesmo que você.

Qual foi a palavra que lhe deu o título regional?

Tchecoslováquia.

Espere um pouco. Ainda não está certo...

T-c-h-e-c-o-s-l-o-v-á-q-u-i-a.

Agora sim!

E a palavra que a tirou da competição estadual, fazendo-a terminar na decepcionante segunda posição?

Potato [batata].

Ela colocou aquele traiçoeiro "e" no final que só aparece quando a palavra está no plural em inglês. (Eu lhe disse para não se sentir mal. Ela é jovem demais para se lembrar, mas o vice-presidente Dan Quayle fez a mesma coisa.)

Cresci achando que, se Deus quisesse que você fosse um missionário, precisaria fazer aparecer milagrosamente a resposta em sua tigela de cereal. Eu achava que provavelmente seria assim: enquanto eu tomava um café da manhã saudável logo cedo, os flocos de milho misteriosamente formariam a palavra *Mumbai*.

Ou algo do tipo.

E talvez, se fosse uma mensagem realmente detalhada da parte do Senhor, eu achava que deveria fazer uma sopa de letrinhas. Infelizmente, fiquei encarando minha tigela de cereal por anos e ela nunca disse Mumbai, Paris, Guatemala ou Tchecoslováquia.

> **Todo cristão é responsável por usar a própria vida para influenciar os outros.**

Era só um amontoado de flocos de milho mesmo.

Descobri mais tarde, porém, que o chamado para missões não costuma ser uma experiência misteriosa, que dá frio na barriga. Aliás, o chamado para cumprir a Grande Comissão em sua esfera de influência já estava *incluído* no convite para seguir a Jesus que todo cristão recebe. "Jesus lhes disse: 'Venham! Sigam-me, e eu farei de vocês pescadores de gente'" (Mc 1.17). Se você segue Jesus, ele tem a intenção de usá-lo para pescar pessoas.

Todo cristão é responsável por usar a própria vida para influenciar os outros. Jesus nos chama a viver de tal modo que nossa vida espelhe a dele e, por meio desse reflexo, o mundo seja atraído e Jesus leve as pessoas de volta para si.

Amigo, aqui vai uma verdade para abalar seu mundo:

Se você é cristão, você foi chamado.

É isso aí. Você foi chamado.

Você mesmo.

Parece de olhar em volta. *Você.*

E não, você não precisa pegar uma tigela de cereal em busca de confirmação. Não precisa nem mesmo esperar ouvir uma voz mansa e suave.

Quem precisa de uma voz mansa e suave quando há um versículo escrito com toda clareza?

Enquanto andava à beira do mar da Galileia, Jesus viu dois irmãos, Simão, também chamado Pedro, e André. Jogavam redes ao mar, pois viviam da pesca. Jesus lhes disse: "Sigam-me, e eu farei de vocês pescadores de gente". No mesmo instante, deixaram suas redes e o seguiram.

Mateus 4.18-20

Jesus mal havia começado seu ministério público e já estava de olho em seu plano de sucessão. O plano de Jesus para a evangelização do mundo pode ser resumido em uma palavra: *Multiplicação.*

Obras maiores que as de Jesus?

Desde o início de seu ministério, o plano de Jesus era deixar neste mundo uma força maior do que ele mesmo. Sei que algo parece estranho nessa ideia. Afinal, ninguém é maior que Jesus, certo? (Certo. Não é uma pegadinha.) Mas as palavras de Jesus em João 14.12 nos instruem: "Eu lhes digo a verdade: quem crê em mim fará as mesmas obras que tenho realizado, e até maiores, pois eu vou para o Pai".

Obras maiores que as de *Jesus*?

Fico feliz porque foi Jesus quem disse isso, não eu. É esse tipo de declaração que faz a pessoa ganhar o rótulo de herege. Algum de nós já curou os doentes com poder maior ou orou com paixão maior que Jesus?

Mas se foi Jesus quem disse, então precisamos começar a levar a sério. Os teólogos dizem que nossas obras podem ser legitimamente chamadas de maiores que as de Jesus no mínimo de duas maneiras.

Da morte para a vida

Muito embora os milagres terrenos de Jesus ilustrem seu poder de salvar do pecado, o maior milagre de todos é a conversão da morte para a vida, que acontece toda vez que alguém acredita no evangelho que pregamos.

Jesus alimentou cinco mil para mostrar que ele é o pão da vida, sempre capaz de saciar.

Jesus andou por sobre as águas para mostrar que é soberano sobre tudo na vida do cristão.

Mas quando eu prego o evangelho a cada fim de semana, pessoas são libertas da condenação eterna, se reúnem com Deus e recebem a garantia da vida eterna.

A MULTIPLICAÇÃO DO EVANGELHO **101**

Nik Ripken conta sobre cristãos russos testemunhando, na atualidade, sinais milagrosos no mesmo nível de qualquer experiência encontrada em Atos. Cegos que passam a ver, paralíticos que voltam a andar. Sério mesmo, são coisas extraordinárias. Mas esses cristãos só usam a palavra *milagre* para se referir à conversão. Por quê? Porque atos incríveis de livramento empalidecem em comparação com o que Deus faz quando atrai alguém para si.

Quando pregamos o evangelho e pecadores creem, *nós fazemos a obra maior*. De acordo com Jesus, seus milagres eram meros sinais. Nós temos a chance de pregar sobre as coisas para as quais esses sinais apontavam!

Pesca em mais de um lugar

A segunda maneira de nossas obras serem "maiores" que a de Jesus é no escopo. Quando Jesus esteve neste mundo, o Espírito Santo se "limitava", por assim dizer, a um lugar e uma pessoa. Jesus podia fazer muito — bem mais do que qualquer um de nós —, mas não estava em dois lugares ao mesmo tempo.

O Espírito, porém, pode.

Por meio do Espírito Santo, Deus está dentro de cada cristão, e o impacto coletivo do Espírito multiplicado em milhões de cristãos é maior do que se ele mesmo tivesse permanecido para liderar a pescaria.

Jesus não precisava fazer as coisas dessa maneira, é claro. Ele poderia ter construído uma congregação grande, escolhido um bom local, pregado lá com consistência e feito milagres — para sempre. Tenho certeza de que ele não teria dificuldades em conseguir recursos suficientes para um santuário permanente. Seria capaz de atrair multidões sempre que quisesse.

102 O EVANGELHO ACIMA DE TUDO

Sem fumaça.

Sem efeitos de iluminação.

Sem bateria eletrizante.

Ou mesmo sem distribuição de brindes.

Ele poderia ter enviado um grupo de oradores repletos de unção capazes de atrair grandes grupos com a eloquência de suas palavras.

Mas não foi essa sua estratégia.

Em vez disso, deixou um grupo de obreiros comuns, a maioria deles de origem humilde, com o poder do Espírito e a promessa de que todos aqueles que fossem conduzidos à fé em Cristo receberiam o mesmo poder. Aliás, as massas abandonaram Jesus quando ele foi crucificado e, em vez de ir atrás delas para aumentar os seguidores, ele manteve o foco no time de doze que havia reunido em Mateus 4.

Jesus passou os únicos três anos de seu ministério público concentrado nesses doze, ensinando-lhes sobre Deus e o reino, preparando-os para a vida depois que ele voltasse para o céu e apresentando o modelo de como fazer discípulos. Conforme diria Paulo posteriormente para Timóteo, Jesus se derramou em seguidores fiéis que depois fariam o mesmo: "Você me ouviu ensinar verdades confirmadas por muitas testemunhas confiáveis. Agora, ensine-as a pessoas de confiança que possam transmiti-las a outros" (2Tm 2.2).

Encontramos quatro gerações de pessoas nessa sequência: Paulo, Timóteo, pessoas de confiança e outros. Subentendidos se encontram aquele que investiu em Paulo, Ananias, e o que investiu em Ananias, Pedro, e aquele que investiu em Pedro (adivinhe quem?), Jesus. Em última instância, todos nós podemos remontar nossa linhagem espiritual, pessoa por pessoa, de volta a Jesus. Esse é o princípio da multiplicação

A MULTIPLICAÇÃO DO EVANGELHO 103

espiritual, e esse é o método que Jesus nos deixou para espalhar o evangelho.

Não é *se* você foi chamado, mas *onde* e *como*

A multiplicação do evangelho não funciona como uma montanha-russa.

Antes de entrar na imensa e demorada fila, todos precisam se medir.

Meu filho mais novo finalmente tem a altura necessária para ir na maioria dos brinquedos. Um dos piores momentos de sua vida foi quando o funcionário do parque lhe pediu que ficasse de pé ao lado da fita e lhe disse que faltava pouco mais de um centímetro para ele poder acompanhar as irmãs.

Mas a estratégia de multiplicação do evangelho não funciona como uma montanha-russa.

A multiplicação do evangelho envolve mais do que somente aqueles que você vê como cristãos de primeira linha. Abrange mais do que aqueles que você considera abençoados com o "dom do evangelismo" — aquelas pessoas que conseguem fazer uma oração com a moça que trabalha no caixa do supermercado e deixá-la em lágrimas.

A multiplicação do evangelho é para todos os filhos e filhas de Deus.

Na igreja em que cresci, "missionário" era um título santo e assustador, reservado para a elite espiritual, para os fuzileiros navais do mundo cristão. Nós os considerávamos heróis, assistíamos maravilhados a suas apresentações de *slides* e doávamos nosso dinheiro para o ministério deles com alegria.

Num sentido verdadeiro, porém, *todo* cristão é missionário.

Veja bem, não estou tentando menosprezar aqueles que foram chamados para a obra transcultural de levar o evangelho

104 O EVANGELHO ACIMA DE TUDO

a lugares não alcançados. Trata-se de uma missão importante e especial. E se quisermos reservar o título formal *missionário* para esse chamado específico, não vejo problema algum. No entanto, se é verdade que nem todos os cristãos são chamados a se mudar para Mumbai, todos os cristãos *são* chamados para direcionar sua vida e seus talentos para o reino onde quer que vivam *agora*. O chamado de Deus para a missão não é um chamado diferente que recebemos anos depois de nossa salvação. Não é um distintivo especial dos supercristãos. É algo inerente ao nosso chamado para a salvação.

O chamado que Jesus fez a Pedro e André ("Sigam-me, e eu farei de vocês pescadores de gente") é para todos, não só para quem sentia algo especial enquanto orava. Ou para quem espera o cereal mandar uma mensagem.

Outra maneira de explicar essa ideia é: a questão não é *se* fomos chamados a canalizar nossa vida para o cumprimento da Grande Comissão.

A real pergunta é *onde* e *como*.

Essa crença fez o evangelho se espalhar como fogo em um campo aberto no livro de Atos. Em várias passagens, Lucas (o escritor de Atos) se empenha para nos mostrar que o evangelho viajou mais rápido ao redor do mundo na boca de cristãos comuns do que os apóstolos e obreiros cristãos em tempo integral conseguiam acompanhar. Ele observa, por exemplo, que, da primeira vez que o evangelho saiu de Jerusalém, nenhum apóstolo estava envolvido:

- A primeira viagem missionária internacional aconteceu em Atos 8 e foi realizada por Filipe, um leigo. O Espírito o levou até uma estrada no deserto onde ele conheceu um oficial do governo etíope e Filipe o conduziu a Cristo.

A MULTIPLICAÇÃO DO EVANGELHO **105**

- A igreja em Antioquia, que serviu como centro das atividades missionárias durante a segunda metade de Atos, não foi plantada por um apóstolo, mas apenas por "alguns irmãos", cujos nomes Lucas nem se deu ao trabalho de registrar — possivelmente porque ninguém saberia de quem ele estava falando.

- Apolo, um leigo (pelo menos na época), foi o primeiro a levar o evangelho a Éfeso, e irmãos anônimos foram os fundadores da igreja em Roma. Esses cristãos não foram para Roma em uma viagem missionária formal. Em vez disso, chegaram ali pelas mudanças normais de vida e trabalho. E enquanto iam, fizeram discípulos e plantaram uma igreja.

Conforme destacou o historiador da igreja Stephen Neill:

> Nada é mais notável que a anonimidade desses primeiros missionários. [...] Lucas não faz questão de mencionar o nome de nenhum desses pioneiros que lançou os fundamentos. Poucas das grandes igrejas foram fundadas pelos apóstolos — ou mesmo nenhuma. Pedro e Paulo podem até ter organizado a igreja em Roma, mas, sem dúvida, não foram eles que a fundaram.[1]

Desse momento em diante — em Atos e na história da igreja — pessoas "comuns" assumem a linha de frente do movimento evangélico.

Quanto mais analisamos os movimentos antigos de plantio de igrejas, mais nos surpreendemos. *Nenhum* dos três grandes centros de plantio de igrejas no primeiro século — Antioquia, Roma e Alexandria — foi fundado pelos apóstolos.

Chega a ser até um pouco engraçada a falta de envolvimento apostólico.

106   O EVANGELHO ACIMA DE TUDO

Pense em Paulo, por exemplo, cuja ambição ao longo de toda a segunda metade de Atos é levar o evangelho a Roma. Ele é espancado, encarcerado e sofre naufrágio — *várias vezes*. Chega até a ser picado por cobras venenosas!

Quando finalmente consegue arrastar seu corpo fatigado e abatido a Roma, de acordo com Atos 28, quem o recebe?

Irmãos.

Paulo escreve: "Ali encontramos alguns irmãos que nos convidaram a passar uma semana com eles. Depois fomos para Roma" (At 28.14).

Fico imaginando Paulo, depois de uma jornada exaustiva de meses no mar, saindo do navio na costa da Itália moderna. De repente, olha um grupo de pessoas no deque segurando balões e cartazes com seu nome escrito.

"Paulo! Ei, Paulo! Ficamos sabendo que você chegaria! Que alegria tê-lo conosco. Quer vir ao culto em nossa casa esta semana? Pode pregar para nós? Quem sabe até escrever um livro aos romanos?"

Não consigo pensar em ninguém que teria ficado mais feliz por perder a corrida a Roma do que Paulo.

A multiplicação do evangelho ganha toda vez.

É bem melhor do que apostar todas as nossas fichas na "figura apostólica cheia de unção que todos devem ir ouvir".

Três convicções que mudarão o mundo

Ver o movimento evangélico se multiplicar não é muito complicado. A realidade é que nós, líderes da igreja, não seremos o centro das atenções nesse processo. As pessoas comuns sempre foram a ponta da lança do evangelho, e se levamos a sério as incursões do evangelho aos perdidos ao nosso redor, elas precisam continuar a ser.

A história de Estêvão acontece em um momento crucial de Atos. O movimento evangélico estava paralisado em Jerusalém, muito embora Jesus tivesse orientado os apóstolos de forma clara que queria que sua mensagem fosse levada para a Judeia, Samaria e os confins da terra.

Para ser justo, é preciso admitir que estava sendo uma jornada empolgante. Isto é, com todos os milagres e batismos e pessoas caindo mortas na hora das ofertas e tal, emoção é que não faltava. Mas a grande questão é que a igreja ainda não havia saído de Jerusalém.

Tudo isso mudou com a história de Estêvão.

Estêvão não era apóstolo, e creio que Lucas (o autor de Atos) registra essa história em parte para exemplificar como homens e mulheres comuns da igreja devem ser e, mais importante ainda, o que acontece no mundo quando eles se envolvem.

A história de Estêvão revela três convicções que moldam esta vida, convicções que devem calar fundo na alma de cada cristão.

Convicção 1: Deus quer me usar

Somos apresentados a Estêvão quando ele é selecionado para ajudar a entregar comida para as viúvas, a fim de que os apóstolos pudessem se dedicar à oração e à Palavra. É importante destacar aqui que a tarefa dele não era glamorosa. Não foi escolhido para ensinar, nem para liderar uma comissão. Não era autor de livros, nem fazia um itinerário de pregações. Não era considerado um dos líderes teológicos da igreja.

108 O EVANGELHO ACIMA DE TUDO

Era apenas um garçom.

Basicamente, era o sujeito responsável pelo ministério de refeições aos carentes da igreja.

No entanto, Lucas conta que Estêvão servia com tanto zelo e fidelidade e que seu testemunho era tão cheio do Espírito que ele chamava a atenção de muitos na comunidade, inclusive muitos dos sacerdotes judeus. A conversão de sacerdotes judeus (bom) acabou provocando um tumulto (ruim), que levou à explosão da igreja fora das fronteiras de Jerusalém (bom).

No fim das contas, Estêvão era mais importante do que havíamos presumido.

E então Lucas acrescenta aquilo que, de acordo com os pesquisadores da Bíblia, foi o ponto crucial de virada na narrativa de Atos. Infelizmente, a maioria das pessoas lê sem prestar atenção:

> Uma grande onda de perseguição começou naquele dia e varreu a igreja de Jerusalém. Todos eles, *com exceção dos apóstolos*, foram dispersos pelas regiões da Judeia e de Samaria. [...] Os que haviam sido dispersos, porém, anunciavam as boas-novas a respeito de Jesus por onde quer que fossem.
>
> Atos 8.1,4 (ênfase acrescentada)

Lucas faz questão de nos mostrar que, da primeira vez que o evangelho sai de Jerusalém e chega à Judeia, Samaria e aos confins da terra, os apóstolos não estavam envolvidos. O serviço e o testemunho de um "leigo" provocou o tumulto e dispersou emissários que saíram de Jerusalém pregando o evangelho, sem a inclusão de um único apóstolo.

Esse padrão persiste ao longo de todo o restante de Atos e, na verdade, da história cristã! O evangelho viaja mais rápido pelo mundo na boca de pessoas comuns do que nas jornadas dos apóstolos.

As pessoas comuns sempre foram e continuarão a ser a ponta da lança do evangelho.

O que aconteceria se as pessoas em nossos bancos começassem a enxergar suas habilidades como ferramentas dadas por Deus para espalhar o evangelho?

Provérbios observa: "Você já viu alguém muito competente no que faz? Ele servirá reis" (22.29). Muitos em nosso meio são excelentes em uma profissão que pode abrir portas e colocá-los perante *reis*. Pode ser uma habilidade especial em arquitetura, educação, direito, medicina, ou diversas outras áreas. Deus colocou nas mãos deles a chave para as nações.

E se nossa *principal* preocupação ao escolher onde trabalhar seja *em que lugar* podemos ser usados na missão de Deus? Ensinamos nossos membros que seguir a Jesus significa "fazer para a glória de Deus tudo aquilo que você fizer bem, em um lugar estratégico para a missão divina". Muitos fatores são levados em conta quando escolhemos onde exercer nossa carreira — onde paga bem, onde nossos parentes moram e onde nós queremos morar — e tudo isso é válido.

> O evangelho viaja mais rápido pelo mundo na boca de pessoas comuns do que nas jornadas dos apóstolos.

Mas por que o reino de Deus não é um dos fatores mais importantes?

John Piper destaca que o principal fator levado em conta por Ló para exercer sua carreira era o lugar onde ele ganharia mais dinheiro — as planícies de Sodoma.

Não deu certo para Ló.

A missão, não o dinheiro, é a principal motivação do seguidor de Jesus, a despeito de sua profissão.

Dizemos aos estudantes de nossa igreja: "Você precisa arranjar emprego em algum lugar. Por que não trabalhar em um lugar onde você possa fazer parte estratégica da obra de Deus?".

Pense no seguinte: se você abrir um mapa da pobreza mundial e sobrepor a ele um mapa da evangelização mundial, descobrirá que as áreas mais carentes de desenvolvimento profissional são também as menos evangelizadas. Muitos dos lugares menos alcançados do mundo — mais hostis a missionários cristãos — abrem os braços para qualquer tipo de profissional.

Os missiologistas costumam fazer menção à "janela 10/40" (a região do mundo localizada entre os graus 10 e 40 de latitude), na qual vive a maior parte das pessoas não alcançadas pelo cristianismo. Para os líderes comerciais, porém, a janela 10/40 não é janela nenhuma, mas, sim, uma grande porta aberta.

Talvez Deus chame você a sair do país. Entretanto, se você é cristão, ele está chamando você *para algum lugar* — a fim de segui-lo por onde for e tornar conhecido o nome dele. Seja você um gerente de investimentos financeiros ou pastor em tempo integral, uma mãe que se dedica aos filhos ou um missionário em terras estrangeiras, Deus tem uma missão para você. De São Paulo a Bahrein, cada cristão tem a responsabilidade de pensar dessa maneira.

Mencionei no último capítulo a imensa falta de missionários e plantadores de igreja que enfrentamos. Li recentemente que existem cerca de quarenta mil missionários evangélicos no mundo hoje. Louvado seja Deus por eles, mas é um número minúsculo se comparado aos *bilhões* de pessoas que não conhecem Jesus.

Há, porém, mais uma estatística.

Existem dois milhões de americanos em empregos seculares fora dos Estados Unidos. A grande maioria deles — no mínimo metade — se identifica como cristã.

Os cristãos americanos são os únicos capazes de compartilhar o evangelho para outras culturas? Claro que não. Cada vez mais mandamos missionários *das* nações *para* as nações. Como, porém, escrevo aqui nos Estados Unidos, vamos pensar em como seria se nos mobilizássemos para cumprir a missão que Deus nos confiou.

Um milhão de cristãos americanos trabalha além-mar. Contudo, se você é como eu, o primeiro pensamento que terá ao ouvir isso é: "Certo, mas o quanto eles levam a fé a sério?".

Vamos dar espaço para esse ceticismo por um instante.

Digamos que, em meio a esse um milhão de cristãos americanos que moram em outros países, 80% deles são farsas. (Isso é duro de dizer, mas, veja só, foi você quem começou...) Isso significa que ainda há *duzentos mil cristãos evangélicos* vivendo em diferentes regiões do mundo. São custeados por empresas americanas, então dinheiro não é problema. E fazem parecer pequeno o número de missionários que enviamos.

O que aconteceria se nós *os* mobilizássemos para pensar em seu emprego como uma oportunidade dada por Deus para partilhar o evangelho? Aumentaríamos em 500% nossa equipe missionária, sem gastar um centavo!

Isso sem mencionar que a parte da igreja que mais cresce hoje se encontra no Sul global e no leste da Ásia. O que acontecerá se *eles* se mobilizarem?

Vi isso acontecer com meu pai. Logo depois de se aposentar de uma indústria têxtil na qual trabalhou por quase quarenta anos, a mesma empresa o contratou novamente por um salário maior do que nunca antes a fim de supervisionar algumas

112 O EVANGELHO ACIMA DE TUDO

fábricas novas na janela 10/40. Ali ele conviveu com profissionais asiáticos com os quais nossas equipes missionárias jamais conseguiriam ter contato em uma viagem missionária para ensinar inglês e distribuir garrafas de água. Sua influência foi fundamental para levar um casal à fé em Cristo e ajudá-los a fundar uma nova igreja ali.

Custo total da igreja:

US$0.

Aliás, nós ganhamos foi dinheiro em todo esse movimento, porque ele continuou a nos enviar o dízimo de volta durante todo o período que passou ali.

Então aqui vai uma proposta radical: se universitários e aposentados dedicarem dois anos de sua vida a nós, *mudaremos o mundo*.

Permita-me explicar.

Não é todo domingo que você encontra ovos, *bacon* e pão de queijo dentro da salva de ofertas. Mas foi isso que aconteceu anos atrás quando os universitários começaram a frequentar nossa igreja.

Certo fim de semana em 2003, cerca de cinco estudantes nos visitaram. Eles pararam um carro na área de embarque e desembarque, estacionaram ali e saíram juntos. Gostaram do culto e, como universitários andam em bando, na semana seguinte levaram uns 250 amigos.

Acho que todos chegaram no mesmo carro.

Em menos de um mês, o número de pessoas nos cultos dobrou. Ao longo do mesmo período, os dízimos e ofertas da semana cresceram em 13,48 dólares. Os estudantes acrescentam muitas coisas boas à dinâmica de uma igreja: entusiasmo, otimismo, zelo evangelístico. Mas dinheiro não é uma delas.

De volta ao infame pão de queijo.

A MULTIPLICAÇÃO DO EVANGELHO **113**

Após o primeiro culto, um diácono me abordou e em suas mãos havia ovo, *bacon* e pão de queijo de uma rede conhecida de restaurantes populares. Um dos universitários havia colocado o lanche dentro da salva com um bilhetinho que dizia, em uma citação caridosa equivocada de Atos 3.6: "Não tenho prata nem ouro, mas lhe dou o que tenho".

A liderança de nossa igreja percebeu algo depressa: com um fluxo tão grande de universitários, podíamos até não ser a mais rica das igrejas, mas sempre teríamos uma ampla gama de missionários em potencial.

Na Summit, reconhecemos que os universitários são parte crucial de nossa estratégia de mobilização.

Anos atrás, começamos a desafiar os formandos a deixar o ministério ser o fator mais significativo para determinar onde começariam a carreira. Começamos a chamar nossos universitários a passar os dois primeiros anos após a formatura em um lugar no qual estamos plantando uma igreja.

"Dê-nos dois anos e mudaremos o mundo."

Centenas e mais centenas de estudantes atenderam a esse chamado. Aliás, recém-formados compõem cerca de um terço das pessoas que enviamos para nossas igrejas plantadas dentro do país. E agora estendemos o mesmo princípio com a "Iniciativa Go2" da Convenção Batista do Sul. Assim, todos os graduados na faculdade em cada igreja batista do sul são desafiados a dedicar seus dois primeiros anos após a formatura à missão de Deus.

Você é universitário? Ou recém-formado? Se for, permita-me fazer o mesmo desafio para você.

Talvez você não seja membro de nossa igreja, então não se mudará para algum lugar a fim de fazer parte de uma igreja plantada pela Summit Church. Mas você precisa morar e trabalhar em algum lugar. Por isso, assim como pergunto aos nossos universitários, estenderei o mesmo questionamento a você: *Que tal morar e trabalhar em um lugar no qual você faça parte de uma obra estratégica para Deus?*

E para aqueles que estão se aposentando, por que não olhar para essa fase da vida em que Deus os livrou das ocupações do trabalho para investir dois anos naquilo que o Senhor tem feito ao redor do mundo?

"Mas nós economizamos a vida inteira para nos aposentar e morar na praia e jogar golfe."

Sério? É assim que você quer passar os últimos vinte anos de sua vida — provavelmente os menos atarefados de sua existência — antes de encontrar o Rei Jesus? De férias?

Jesus refletiu sobre isso: "Devemos cumprir logo as tarefas que nos foram dadas por aquele que me enviou. A noite se aproxima, quando ninguém pode trabalhar" (Jo 9.4).

É claro que, na praia, as pessoas também necessitam de Jesus. Deus e os perdidos estão por toda parte. Mas não ouse passar o resto da vida de férias.

Convicção 2: o Espírito Santo está em mim

Algo que me chama atenção na história de Estêvão é sua confiança intrépida — confiança para encarar a elite religiosa e não hesitar nem mesmo quando se muniram de pedras para jogar nele.

A confiança provinha de saber que a plenitude do Espírito habitava nele. "Cheio do Espírito Santo" é a característica mais repetida acerca de Estêvão em Atos 6—7.

Quer saber o que dá confiança incomum a cristãos comuns? Não é coragem.

A MULTIPLICAÇÃO DO EVANGELHO **115**

Não é nem mesmo conhecimento bíblico.

Não é um monte de seguidores nas redes sociais.

É o *conhecimento* do poder do Espírito dentro deles.

Todos os cristãos *têm* o poder do Espírito, é claro. Esse é nosso direito em Jesus. Mas é o conhecimento — a consciência íntima — desse poder que faz a diferença.

Jesus deixou promessas extraordinárias sobre o poder e o potencial do Espírito na vida do cristão, muito embora sejamos tentados a achar que ele estava exagerando.

Por exemplo, pense na promessa que Jesus fez a seus discípulos posteriormente em Mateus 11.11: "Eu lhes digo a verdade: de todos os que nasceram de mulher, nenhum é maior que João Batista. E, no entanto, até o menor no reino dos céus é maior que ele". "O menor no reino" significa que você sabe menos sobre a Bíblia. Que tem o menor talento. Que é o menos eloquente. Que você tem o menor número de dons espirituais.

Estatisticamente falando, alguém precisa ser essa pessoa. Talvez seja alguém lendo este livro. Não estou tentando ser maldoso, mas matematicamente alguém precisa estar lá embaixo.

É possível que agora você esteja pensando: "Ei, talvez seja eu!". E quem sabe esteja começando a sentir pena de si mesmo.

Não sinta!

Com base no que Jesus disse em Mateus, até mesmo você, o cara do fundo do poço, tem mais potencial para receber poder no ministério do que João Batista porque: a) sabe a verdade sobre a ressurreição (algo que João não sabia muito bem), e b) tem o Espírito Santo habitando *permanentemente* em você, o que João também não tinha (João estava sob a dispensação do Antigo Testamento em relação ao Espírito, e ela não incluía a morada permanente de que os cristãos do Novo Testamento desfrutam).

Isso significa que nada depende de suas habilidades no ministério, mas, sim, de sua disponibilidade para ser usado pelo Espírito Santo. Perceba que Deus é capaz de realizar mais por meio de um instrumento disposto do que de todo o talento do universo.

Você acredita nisso?

Segue-se apenas um exemplo de Atos. É a história que vem imediatamente depois da que lemos anteriormente sobre Estêvão.

Filipe, outro cara comum — que não era apóstolo —, se sente movido pelo Espírito a ir para uma região remota. Obedece e acaba em uma estrada poeirenta sozinho, provavelmente se perguntando por que estava lá. De repente, chega uma carruagem levando alguém que hoje conhecemos como eunuco etíope. O eunuco estava lendo Isaías. Mas se sentia confuso. Filipe sobe na carruagem e o conduz a Cristo. Eusébio, historiador do terceiro século, conta que o eunuco voltou para sua terra natal na África subsaariana e plantou uma igreja que continua a existir até hoje.

> Deus é capaz de fazer mais por meio de um cristão que coopera com o Espírito Santo do que com a manifestação mais deslumbrante de talento em qualquer lugar do mundo.

Pense nisso.

Por causa de um ato de obediência de um cara comum, o Espírito Santo realizou mais em prol da evangelização global do que todos os apóstolos conseguiram fazer em oito capítulos de ministério.

No placar da evangelização mundial, estamos assim: Caras comuns: 2 / Apóstolos: 0.

A MULTIPLICAÇÃO DO EVANGELHO **117**

Deus é capaz de fazer mais por meio de um cristão que coopera com o Espírito Santo do que com a manifestação mais deslumbrante de talento em qualquer lugar do mundo.

Então aqui vai a pergunta: *Você* está ouvindo o Espírito Santo?

Qual foi a última vez que você se sentiu movido por ele ao ministério?

Ao longo de Atos, o Espírito Santo é mencionado 59 vezes. E, em 36 delas, ele *fala*. O mais insano de tudo isso é que as Escrituras não costumam explicar *como* ele fala, o que é bem frustrante para pessoas de personalidade Tipo A, como eu.

Por exemplo, em Atos 13.2, como o Espírito Santo orientou a igreja a separar Barnabé e Saulo para a obra no ministério? Escrevendo no céu? Por meio de um calafrio por dentro? Quem sabe um *tweet* do perfil @JesusOficial?

Mas quero deixar claro que, por mais insano que possa parecer, creio que a ambiguidade é intencional. A ambiguidade acerca de como Deus fala encoraja a humildade que devemos ter ao pensar que ouvimos algo da parte do Senhor. As palavras "Deus me revelou..." já causaram mais danos à igreja do que quaisquer outras. Certeza absoluta deve ser reservada apenas para a Bíblia.

Contudo, isso é diferente de dizer que Deus não fala mais, nem se move em nós.

Eu sei que no instante em que começo a falar sobre ouvir a voz do Espírito, objeções se levantam.

As coisas eram diferentes naquela época!

Eu reconheço isso. De maneira profunda e significativa, o que os apóstolos fizeram foi único. Mas você não conseguirá me convencer de que o único registro inspirado que temos da igreja seguindo o Espírito Santo é totalmente repleto de exemplos sem nenhuma relevância para nossa vida atual. O Espírito Santo continua a convencer, guiar e *falar*.

Nós, igreja, precisamos ouvir.

Para ser honesto, é por isso que os pentecostais tendem a nadar contra a maré das estatísticas no que diz respeito aos números missionários decrescentes. Nós, batistas — minha pequena tribo de cristãos —, achamos que monopolizamos as missões. Estatisticamente, porém, eles se saem melhor.

Por que isso acontece? Bem, um missiologista me explicou da seguinte maneira: os batistas acham que conseguem tocar as pessoas ao pintar um retrato estarrecedor da condição perdida do mundo, o que também é importante, sem dúvida. Mas ouvir estatísticas desanimadoras pode ser paralisante.

Quem deseja esvaziar o oceano com um dedal?

Os pentecostais, em contrapartida, tendem a dizer: "Deus quer que eu vá para *esta* cidade trabalhar com *este* grupo de pessoas".

Nem tudo no céu tem meu nome escrito, mas, às vezes, isso de fato acontece e sou responsável.

É claro que ser motivado pelos dons é mais poderoso do que ser movido pela culpa.

Convicção 3: Serei para os outros como Jesus foi para mim

Para mim, a parte mais emocionante da história de Estêvão é o que ele disse quando morreu. Em suas palavras, encontramos uma janela para sua alma, mostrando-nos no que ele estava pensando no momento da morte. Enquanto as pedras tiravam a vida de seu corpo, "Estêvão orou: 'Senhor Jesus, recebe o meu espírito'. Então caiu de joelhos e gritou: 'Senhor, não os culpes por este pecado!'" (At 7.59-60).

Onde você ouviu essas *mesmas* coisas antes?

Bem, são quase idênticas ao que Jesus disse antes de morrer: "Pai, perdoa-lhes, pois não sabem o que fazem" (Lc 23.34); "Pai, em tuas mãos entrego meu espírito!" (Lc 23.46).

Ao morrer, Estêvão estava pensando no que Jesus disse na cruz — o mesmo que Jesus orou em favor de Estêvão, Estêvão agora orava em favor dos outros.

Ao morrer, Estêvão tentou fazer pelos outros aquilo que Jesus fizera por ele.

Seguir Jesus significa sacrificar sua vida pelos outros assim como Jesus se sacrificou por você.

Permita-me fazer uma pergunta: Onde você estaria sem Jesus? Pare e responda a essa pergunta. Onde você estaria agora mesmo? Para onde se encaminharia na eternidade?

Agora pense nisto: é exatamente nesse caminho que se encontram os milhões e milhões de pessoas neste mundo sem *nós*. Jesus enviou sua igreja ao mundo *assim como o Pai* o enviou.

Isso é sério.

É como disse Martinho Lutero: "Não importaria se Jesus tivesse morrido mil vezes se ninguém jamais houvesse escutado a esse respeito".

É por isso que o apóstolo Paulo se considerava devedor às pessoas que ainda precisavam ouvir do evangelho.

Como ser devedor a gente que não tem vínculo nenhum com sua vida? É simples: levando a sério os desdobramentos do evangelho. Paulo sabia que ele não era mais digno de salvação do que os milhões de pessoas que jamais haviam ouvido falar de Jesus. Sabia que não era justo da parte dele receber uma graça tão grande e não fazer nada a esse respeito. Junto com a crença no evangelho vem a obrigação de multiplicá-lo o máximo possível.

Em outras palavras: "Farei para os outros o mesmo que Jesus fez por mim".

Após se dar conta do que Jesus fez por você na cruz, nada mais na vida pode parecer o mesmo.

Seu dinheiro.

Sua casa.

A criação de seus filhos.

Sua carreira.

E, no caso das igrejas, nosso objetivo principal é ver nossos membros se apropriarem da Grande Comissão e colocá-la em prática na vida.

Deus jamais nos chamou na igreja para manter uma instituição. Ele nos chamou para que cumpramos uma missão. Por esse motivo, nossa pergunta sempre será: Como pegar os recursos e as oportunidades que Deus nos deu e direcioná-los para que o maior número possível de pessoas seja alcançado com o evangelho? Se concentrarmos nossos esforços na preservação de nossas instituições, em lugar de avançar a missão, Deus terá todos os motivos para tirar sua mão de nós e mover seu Espírito em outro lugar.

Você já se preocupou com as obrigações que deve ao evangelho?

Já se incomodou com o fato de que 2,8 bilhões de pessoas no mundo têm pouco ou nenhum acesso ao evangelho? E não transforme isso em mais uma estatística!

Conta-se que, certa vez, Josef Stalin disse que a morte de uma pessoa é uma tragédia, mas a morte de um milhão é estatística. Não é verdade — e o fato dessa declaração sair da boca de Stalin confirma isso.[2]

Cada uma dessas 2,8 bilhões de pessoas é como você e eu. Foram criadas à imagem de Deus como você. Sabem o que é

A MULTIPLICAÇÃO DO EVANGELHO **121**

sentir medo como você. Têm esperanças, sonhos e aspirações como você.

Mas não têm o evangelho como você.

Serei para os outros como Jesus foi para mim. O tesouro que ele nos deu no evangelho exige ser compartilhado.

Devemos isso aos outros.

Pastores, talvez nós sejamos o problema

Se o envio e a multiplicação são tão centrais para o evangelho, devem estar no centro de tudo que a igreja faz. A multiplicação precisa ser tão central a ponto de dizermos não para outras coisas *boas* se elas entrarem em competição com esse elemento *essencial*.

A ironia é que os mais propensos a atrapalhar esse processo são os próprios líderes da igreja. Já disse isso antes, mas tendemos a medir o sucesso pelo total de pessoas que cabem sentadas em nosso templo, ao passo que a multiplicação do evangelho nos impele a mensurar nosso sucesso por nossa capacidade de envio.

Contar bancos é confortável. É seguro. Já enviar é arriscado e assustador. Contar bancos faz os líderes da igreja parecerem importantes. Mas enviar torna a missão importante.

A mudança do *total de bancos para o total de envios* desencadeará uma mudança radical na forma como muitos de nós concebemos a missão da igreja. Mas creio que também liberará o Espírito para agir de novas maneiras radicais. Podemos usar talento e técnicas brilhantes para acrescentar pessoas a nossa equipe de ministério. Ou podemos pedir ao Espírito que capacite e habilite nosso povo para a multiplicação.

Multiplicar tem um preço.

Dói.

Mas a trajetória do discipulado diz respeito a dar, não a receber. Conforme disse Dietrich Bonhoeffer: "Quando Cristo chama alguém para segui-lo, o chama para vir e morrer". Jesus não diz: venha se *expandir*, mas, sim, venha *morrer*. E nos mostrou o que queria dizer pelo próprio exemplo.

Ele trouxe vida ao mundo não ajuntando e elevando, mas abrindo as mãos e dando tudo.

Por que ficamos surpresos ao perceber que Deus deseja que usemos o mesmo processo em nosso ministério? Não é por nosso *sucesso* que Deus salva o mundo, mas por nosso *sacrifício*.

Ele nos chama primeiro a um altar, não a uma plataforma (Rm 12.1-2).

Sua maneira de dar vida ao mundo não é nos concedendo crescimento numérico que enriquece nossa vida e exalta nosso nome. Em vez disso, ele traz ressurreição da morte. Conforme disse Jesus: "Se o grão de trigo não for plantado na terra e não morrer, ficará só. Sua morte, porém, produzirá muitos novos grãos" (Jo 12.24).

Vivemos ao perder.

Ganhamos ao dar.

Aquilo que *nós* conquistamos ao construir uma plataforma pessoal jamais será tão grande quanto o que *Deus* conquista por meio do que doamos pela fé.

A explosão da igreja primitiva

Por volta do ano 300 d.C., aqueles dois pescadores de homens que Jesus chamou para deixar as redes haviam se multiplicado em *milhões* de cristãos no império romano. E em 312 d.C., até o imperador romano foi batizado.

Jesus e seu bando de discípulos plebeus se multiplicaram em um movimento incessante. Sem recursos. Sem celebridades. Sem vários representantes no Senado.

O historiador Rodney Stark pergunta: "Como isso aconteceu? Como um movimento messiânico minúsculo e obscuro em um dos extremos do império romano desbancou o paganismo clássico e se tornou a fé dominante da civilização ocidental?".[3]

Adivinhe só?

Multiplicação.

A igreja primitiva não explodiu por meio da conservação. Nem da adição. Mas, sim, da multiplicação.

Se quisermos ver um movimento semelhantemente explosivo do cristianismo em nossos dias, precisamos adotar os mesmos métodos.

Não chegamos lá simplesmente *conservando* a igreja, tentando manter nossos membros atendendo a seus desejos e suas preferências.

Não chegamos lá por *adição*. Plataformas impressionantes para pregadores impressionantes podem, em alguns casos, ser usadas por Deus, mas não consistem no plano de evangelização que Jesus nos deixou.

Não podemos cair na armadilha do *ministério profissional*. De acordo com Paulo, a obra do ministério pertence ao "povo santo" comum, não aos pastores (Ef 4.12).

> A única maneira de chegar aonde queremos é pela *multiplicação*. Não ajuntando membros e nos agarrando a eles, mas, sim, capacitando-os e abrindo mão deles.

Isso significa que aqueles de nós que integram a liderança pastoral da igreja *deixaram o ministério*, em certo sentido, quando se tornaram pastores. Nós não somos mais aqueles que fazem o ministério, mas capacitamos os santos de nossas igrejas e os enviamos para fazer o ministério. Estamos nos bastidores.

A única maneira de chegar aonde queremos é pela *multiplicação*. Não ajuntando membros e nos agarrando a eles, mas, sim, capacitando-os e abrindo mão deles. Equipamos e enviamos pescadores de gente ao mundo, que levam consigo a única palavra poderosa o suficiente para abrandar corações duros, promover reconciliação e perdão e trazer os mortos espiritualmente de volta à vida.

O evangelho.

5

A esperança do evangelho

....

O futuro é tão empolgante quanto as promessas de Deus. [...]
Espere grandes coisas de Deus, faça grandes coisas para Deus.

WILLIAM CAREY

George Lucas não punha fé em *Star Wars*.

Nas etapas finais de filmagem de *Star Wars: Uma nova esperança*, Lucas não achava que o filme seria um sucesso de bilheteria. Pelo contrário, imaginava que seria um desastre cósmico. É assim que me sinto antes de 90% dos sermões que prego.

E ele não estava sozinho. Os estúdios cinematográficos predisseram que *Star Wars* seria, como os jovens gostam de dizer, um "fracasso épico".

Os frequentadores dos cinemas tiveram opinião diferente.

Star Wars: Uma nova esperança estreou no dia 27 de maio de 1977.

Foi o segundo filme mais assistido naquele final de semana, atrás apenas de *Agarra-me se puderes*. Pergunte a seus filhos se eles já ouviram falar do último. O Pontiac Firebird original usado no filme se encontra hoje em exibição no Country Music Hall of Fame em Nashville e fiquei fascinado ao deparar com ele! Já meus filhos demonstraram absoluta indiferença.

É fato: *Agarra-me se puderes* ganhou 2,7 milhões de dólares no fim de semana de lançamento, ao passo que *Star Wars: Uma nova esperança* só arrecadou 2,5 milhões. Mas o primeiro foi exibido em 386 salas de cinema.

Star Wars: Uma nova esperança?

Somente em quarenta e três.

Quem assistia voltava uma segunda e terceira vez, e mal podia esperar para levar os amigos!

Em 2016, o império Star Wars já havia faturado perto de 30 bilhões de dólares. No livro *O mundo segundo Star Wars*, Cass Sunstein explica que o ganho total da franquia Star Wars excede o PIB (produto interno bruto) de quase cem países do mundo.

Como diria o mestre Yoda: Bem lucrativo, ele foi.

Aos dez anos de idade, não me lembro de ficar tão envolvido por algo que parecia tão importante em fazer a diferença entre a vida e a morte e moldar a galáxia quanto a mensagem holográfica enviada pela princesa Leia para Obi-Wan Kenobi.

"Ajude-me, Obi-Wan Kenobi, você é minha única esperança."

Aos dez anos de idade, eu estava pronto para oferecer minha vida em serviço.

Aquela frase me impactou profundamente. A bela Leia estava em perigo e somente um homem chamado Obi-Wan, nos rincões de um planeta desértico com dois sóis, poderia ajudar. Quem imaginaria que a frase de Leia nos conduziria a uma franquia que ganharia mais dinheiro bruto do que metade dos países da Terra?

Após a morte de Carrie Fisher em 2016, a revista *Rolling Stone* compartilhou os dez melhores momentos da atriz em *Star Wars*. No topo da lista? Essa frase.

É apenas uma pequena imagem azul projetada do R2-D2 na garagem de Luke Skywalker, repetindo essa misteriosa frase vez após vez. Mas isso significou mais do que apenas a mensagem que desencadeou a trilogia original de Star Wars; foi uma espécie de encantamento mágico, que prometia desespero e heroísmo, salvadores com nomes estranhos e riscos tão grandes quanto toda aquela galáxia muito distante daqui. [...] Ela vendeu cada pedacinho da construção caricaturada de mundo de George Lucas, carregada de jargões, como se estivesse declamando um monólogo de Shakespeare.[1]

A única esperança de liberdade para a galáxia oprimida pelo império estava no poder do Jedi.

Conforme explicou C. S. Lewis, contos fantasiosos como Star Wars cativam nosso coração porque ecoam a verdadeira saga que Deus criou para participarmos. Nossa aventura pode não incluir "a Força", a nave *Millennium Falcon* ou o Chewbacca, mas promete sua própria dose de "desespero e heroísmo, salvadores com nomes estranhos e riscos tão grandes quanto toda aquela galáxia muito distante daqui". Travamos uma batalha contra principados e potestades, e governantes em lugares altos, uma batalha na qual nem sabres de luz podem nos ajudar e para a qual necessitamos de "toda a armadura de Deus" (Ef 6.11). O poder do império maligno de Satanás é grande, e sua arma gama com a estrela da morte está apontada em nossa direção.

Quem é nosso Obi-Wan Kenobi?

Quem virá para nos ajudar?

Há esperança para nós?

Olhe para as estrelas, jovem padawan

Minha esposa diz que eu sou irritantemente otimista. E não consegue explicar exatamente por quê. Talvez seja genético. Talvez seja o ambiente positivo em meu lar durante meus

128 O EVANGELHO ACIMA DE TUDO

primeiros anos de vida. Talvez seja o alinhamento dos dois sóis em Tatooine na noite de meu nascimento. Seja o que for, meu temperamento sempre parece propenso a ver o lado bom das coisas.

Já posso até prever que este capítulo ficará *incrível*.

Você não acha?

De todo modo, foi um grande baque para mim me sentir absolutamente abatido após treze meses servindo como missionário no sudeste da Ásia. Eu me sentia frustrado com o progresso tão pequeno que fizera em levar o evangelho para aquele grupo não alcançado de pessoas. Por tão pequeno, quero dizer nenhum.

Bem, não é exatamente verdade.

Eu vira duas pessoas se entregando a Cristo durante meu período além-mar. Mas ambas estavam vacilantes e agora parecia que tudo aquilo pelo qual eu trabalhara estava se desintegrando, juntamente com a fé dos dois.

Não era, porém, por falta de esforço de minha parte. Durante a maior parte dos dias, eu passava quase todos os minutos indo à casa das pessoas, contando histórias da Bíblia e iniciando dezenas de conversas sobre o evangelho. Eu orava com mais desespero do que em minha vida inteira. Minha dupla missionária chegou a reclamar com nosso superior que eu estava tentando fazer demais e forçava momentos estranhos para falar do evangelho em conversas nas quais o tema não se encaixava. Se a tarefa dependesse de meu ritmo frenético, então a cidade deveria passar por um reavivamento no nível de Atos.

Ainda assim, dia após dia, eu não via nada acontecer. Era como se eu estivesse jogando a semente do evangelho no asfalto de uma rodovia. Cheguei até a cogitar voltar antes para casa, convencido de que tudo que eu estava fazendo era uma perda de tempo.

Então um missionário mais velho, o dr. Keith Eitel, me chamou em um canto e apontou para o céu.

"Lá você encontrará motivos para prosseguir."

Eu não fazia ideia do que ele estava falando, mas não queria que ele *soubesse* que eu não havia entendido nada.

Então respeitosamente escaneei o horizonte de uma extremidade à outra. Bem devagar. Cheguei a apertar os olhos e assentir como se tivesse visto algo significativo. Assim como a força Jedi vinha da floresta, quem sabe a força do missionário fluísse das estrelas. Eu não iria estragar meu momento com Yoda como Luke fez, então agi como se estivesse compreendendo.

Mas ainda estava perdido.

— J. D., estas são as mesmas estrelas que Abraão contemplou há milhares de anos — disse o dr. Eitel. — É o mesmo céu. E você se lembra da promessa de Deus para ele? O Senhor disse a Abraão que seus descendentes seriam mais numerosos que essas estrelas.

O dr. Eitel fez uma pausa e então me olhou.

— O que Deus disse a Abraão era impossível. Abraão sabia disso. Deus sabia disso. *Você* sabe disso. Mas olhe para as estrelas! Essas estrelas representam pessoas que Abraão jamais conheceria — pessoas como você e eu — que acreditariam no evangelho. Quando olhou para aquelas estrelas, ele estava olhando para o futuro e vendo a você, a mim e a milhões de outros.

Por fim, disse:

— J. D., eu sei que você não está vendo nada acontecer. O trabalho é duro. Na verdade, é mais duro do que você imagina.

— É *impossível*!

— Mas a promessa de Deus é tão certa hoje como foi para Abraão. E se Deus foi capaz de extrair vida e uma nação frutífera do corpo inerte de Abraão, sem dúvida ele pode trazer vida ao coração dos muçulmanos desta cidade. No céu noturno, em meio às estrelas, está o nome de muitas das pessoas pelas quais você está orando e com quem vem partilhando o evangelho. Talvez você nunca as veja seguindo a Jesus, assim como Abraão nunca viu *você* seguindo a Jesus. Mas pode ter absoluta certeza de que Deus ainda não terminou sua obra.

Deus é fiel.

Ele completará a obra que começou.

Ele prometeu.

Sua promessa é minha esperança.

O que Deus é capaz de fazer com um momento

Eu nunca cheguei a presenciar uma explosão de conversão naquele grupo não alcançado no sudeste da Ásia.

Alguém presenciará. E eu serei parte dessa história.

Quando e como acontecerá, não podemos predizer com exatidão. Conforme disse Jesus, o mover do Espírito é misterioso como o vento. No entanto, quando acontecer, veremos Deus fazer mais em alguns momentos do que nós conseguimos realizar em milhares de gerações.

O autor do salmo 126 nos leva a ter esperança nesse tipo de despertamento. Nesse pequeno salmo maravilhoso, ele descreve dois tipos diferentes de despertamento espiritual:

Restaura, SENHOR, nossa situação,
como os riachos revigoram o deserto.

A ESPERANÇA DO EVANGELHO **131**

Os que semeiam com lágrimas
   colherão com gritos de alegria.
Choram enquanto lançam as sementes,
   mas cantam quando voltam com a colheita.

Salmos 126.4-6

Nos versículos 5 e 6, o salmista fala sobre semear com lágrimas. Esse é o caminho lento do ministério. O caminho normal, se quiser admitir. Israel contava com muitas regiões desérticas, e o salmista estava imaginando um solo tão seco que as sementes plantadas precisavam ser regadas individualmente, regadas com lágrimas. Imagine quantas horas de paciência exaustiva e trabalho excruciante era necessário!

Muitas vezes, Deus trabalha assim no mundo por nosso intermédio: plantamos com paciência as sementes da Palavra de Deus no coração de nossos amigos, familiares, vizinhos, professores, e as regamos com lágrimas, fertilizando-as com nossa fé. Ver a colheita requer *anos* de trabalho constante.

Pense um pouco em Noé.

O apóstolo Pedro o descreve como alguém "que proclamava a justiça" (2Pe 2.5).

Dá para imaginar? Noé recebeu a ordem de construir a arca 120 anos antes do dilúvio. Às vezes lemos essa história em Gênesis e achamos que, depois de Deus chamar Noé para construir a arca, o céu começou a ficar nublado e a chuva chegou 48 horas depois.

Mas não foi isso que aconteceu.

Um ano se passou.

Dois.

Dez.

Cinquenta.

Cem.

132 O EVANGELHO ACIMA DE TUDO

É como se Noé tivesse começado a pregar sobre o dilúvio quando Theodore Roosevelt era presidente e continuado — "Logo vai acontecer!" — *até hoje*.

Quanta esperança e confiança Deus deve ter dado a Noé! Eu fico impaciente até na fila do *drive-thru* quando preciso estacionar à frente do caixa na área de espera e aguardar minhas fritas. Não era para ser *fast food*, comida rápida?

Como você reage quando Deus chama você para algo e há um período de espera entre o chamado e sua realização?

Ainda assim, Noé permaneceu firme. E pregava aos vizinhos o tempo inteiro. Mas nenhum se arrependeu. *Zero convertidos em mais de um século*. É difícil pensar nele como um pregador de sucesso em qualquer aspecto, mas as Escrituras o exaltam como um exemplo de fidelidade. Fará bem ao nosso coração refletir sobre Noé e seu trabalho fiel e confiante.

Ou pense em William Carey, o pai das missões modernas. Ele enfrentou forte relutância mesmo por parte dos cristãos ingleses, os quais lhe disseram que seu zelo missionário era mal direcionado. A despeito da oposição, Carey partiu para a Índia em 1793. Trabalhou com todo empenho, mas demorou sete anos inteiros para presenciar a primeira conversão. Quantas vezes, ao longo daqueles anos, ele sentiu dúvida?

"Talvez eles estivessem certos..."

"Talvez eu não devesse ter vindo..."

O escocês Robert Moffat foi missionário na África do Sul no século 19. Gastou três anos (1818–1821) apenas *viajando* para seu posto missionário. Ele e a esposa trabalharam fielmente por dez anos, sem ver resultados tangíveis.

Até que Deus começou a se mover entre as pessoas.

Em três anos, o número de convertidos na cidade em que ele estava passou de 0 para 120. Como tudo seria diferente se eles tivessem resolvido abandonar a obra no nono ano! Ah, amigo, como precisamos pedir a Deus que nos conceda fidelidade sobrenatural!

Adoniram Judson é outro exemplo. Judson foi um dos primeiros missionários americanos. Ele passou seis anos em Burma (a atual Mianmar) antes de ver seu primeiro convertido, um homem chamado Maung Nau. Judson confessou que, até o momento da profissão de fé de Maung Nau, estava um pouco cético por causa dos anos sem frutos. Escreveu em seu diário:

> Começo a pensar que a graça de Deus alcançou o coração de Maung Nau. [...] Parece até demais acreditar que o Senhor começou a manifestar sua graça à gente de Burma, mas, neste dia, não pude resistir à agradável convicção de que é isso mesmo. Glória e honra ao nome dele para sempre.

Também me recordo do político britânico William Wilberforce. Após se converter em 1785, ele trabalhou por 48 anos em prol da abolição da escravatura no império britânico. Ao longo de boa parte de sua vida, essa parecia uma causa perdida. As etapas finais do Ato de Abolição da Escravatura de 1833 foram realizadas sem ele, por estar com a saúde fragilizada já no fim da vida. A lei foi aprovada apenas três dias antes de seu falecimento, e ele recebeu a alegre notícia em seu leito de morte.

Quase meio século de trabalho fiel e quase não viu os frutos de seus esforços.

Poderíamos também acrescentar a história de Hudson Taylor na China, Jonathan Edwards em meio aos índios moicanos e muitos outros. Esforçaram-se por anos antes de ver os frutos de seu labor aparentemente estéril. Outros, como Noé

134 O EVANGELHO ACIMA DE TUDO

— e quase Wilberforce — , não vivem o suficiente para ver o impacto que sua fé em Cristo produz.

Mas todos eles precisaram enfrentar anos de esterilidade.

Tenho certeza de que todos se perguntaram, assim como eu: "Será que estou desconectado do Espírito? Estou em pecado? Será que não enxerguei a vontade de Deus para minha vida?".

> À medida que lançamos sementes espirituais, Deus nos familiariza com a disciplina da espera.

A escritora e professora de Bíblia Beth Moore explicou certa vez que aquilo que é verdadeiro na ecologia também se aplica à esfera espiritual. Além do plantio das sementes espirituais precisar ser feito de maneira intencional, o plantio e a colheita não acontecem de modo simultâneo.

À medida que lançamos sementes espirituais, Deus nos familiariza com a disciplina da espera.

Assim como os agricultores entendem o processo de plantar e colher no tempo certo, os semeadores e ceifeiros da semente espiritual precisam compreender as diferenças de tempo.

Conforme diz o salmo 126, às vezes Deus nos leva a colher após o plantio paciente das sementes, uma a uma.

As histórias dos heróis da fé que prosseguem mesmo quando nada parece estar acontecendo funcionam como a voz do dr. Eitel para mim, fortalecendo minha resolução e me lembrando de que não importa o quanto a situação pareça sem esperança no momento, nenhum sacrifício feito por Cristo e pelo evangelho é vão.

Mas Deus também trabalha de outra maneira.

"Como os riachos revigoram o deserto"

Em raras ocasiões, no deserto árido do Neguebe, caíam chuvas torrenciais que cobriam as planícies e riachos enchiam a terra.

Quando as águas evaporavam, deixavam um solo rico e macio sobre o qual plantas verdes se espalhavam como um carpete.

Consigo até ver uma cena de filmagem da série *Nosso planeta*, da BBC.

O salmista imagina Deus fazendo isso no coração dos israelitas apostatados. Foi isso que aconteceu, por exemplo, quando Jonas pregou (relutante) em Nínive. Foi um sermão terrível de apenas oito palavras sem esboço claro, nenhuma ilustração, nem introdução engraçada. E Jonas estava irritado com as pessoas para quem estava falando. Ele nem queria que elas acreditassem.

Pior. Sermão. De. Todos.

Contudo, Deus fez mais em um momento por meio de um sermão de segunda categoria do que mil missionários de talento impressionante e munidos com os melhores recursos seriam capazes de fazer em dez gerações.

Na maioria das vezes, Deus trabalha em estações. Às vezes, porém, trabalha em um instante.

É isso que o salmista anseia no salmo 126. Esse anseio não nega sua responsabilidade de plantar as sementes e regá-las pacientemente com lágrimas, mas lhe dá a esperança de que, caso ele se recuse a deixar tudo de lado, Deus enviará novamente seu Espírito na terra como um riacho.

Jamais podemos abrir mão dessa esperança para nossos dias.

Ajuda-nos, Senhor Jesus. Tu és nossa única esperança!

D. Martyn Lloyd-Jones disse:

> Podemos lutar e suar e orar e escrever e fazer todas as coisas, mas [...] [nós somos] impotentes e não podemos deter a torrente. Persistimos pensando que podemos endireitar as coisas. Começamos uma nova sociedade, escrevemos um livro, organizamos

uma campanha e estamos convencidos de que impediremos a maré. Mas não conseguimos.[2]

Mas então, Lloyd-Jones afirma, nós nos lembramos da promessa: "Quando o inimigo vem como uma torrente, é o Senhor que se levanta e ergue o estandarte".[3]

Lloyd-Jones cita Isaías 59.15, passagem em que o profeta usou imagens de batalha de sua época. As forças em investida levantavam uma bandeira para sinalizar quando o exército deveria prosseguir. Em momentos de retirada, nos quais o exército inimigo invadia e fazia as forças recuarem, a bandeira era abaixada. Quando, porém, o exército recuperava suas condições e começava a avançar novamente, a bandeira voltava a ser erguida.

Isaías aguarda com expectativa o momento em que Deus dará tanto poder a seu povo para vencer em sua missão que levantará a própria bandeira — não mais na defensiva, mas, sim, em um rápido avanço contra o inimigo. Lloyd-Jones continua:

> E assim nos lançamos à misericórdia divina. Não se trata de uma ênfase na oração organizada; trata-se, muito mais, de um ato de desespero. E então, somente então, o poder do Espírito Santo nos inundará e nos preencherá. E ele faz em um momento aquilo que uma organização em crescimento mal consegue realizar em meio século.[4]

Eu amo essa última frase. Amo, amo, *amo*! Sinto meu coração se encher novamente de esperança enquanto a escrevo: "Ele faz em um momento aquilo que uma organização em crescimento mal consegue realizar em meio século".

Jonathan Edwards, que supervisionou o maior avivamento religioso entre os povos ocidentais na história moderna ao liderar o primeiro Grande Despertamento, disse que, no princípio, alguns sermões eram pregados, alguns esforços missionários eram organizados e algumas pessoas se convertiam. "Mas então", contou,

> Deus pegou o mundo em suas mãos de tal maneira que passou a fazer em um ou dois dias aquilo que, em circunstâncias normais, a comunidade cristã inteira, usando todos os recursos à sua disposição, com a bênção do Senhor, levava mais de um ano para realizar.[5]

Ele estava falando dos riachos que revigoram o deserto.

Tim Keller explica que um reavivamento é a mera "intensificação das operações normais do Espírito Santo (convicção do pecado, regeneração e santificação, certeza da salvação) por meio dos recursos normais da graça (pregação da Palavra, oração, etc.)".[6] Em geral, ele não faz algo "novo" tanto quanto derrama grande poder sobre as coisas "normais" que cristãos fiéis já estão fazendo.

As orações se tornam mais intensas.

A oração fica mais alegre.

O arrependimento ganha mais sinceridade.

E a Palavra pregada faz maior efeito.

O Espírito de Deus multiplica a eficácia de nossa obra "normal" de plantio da semente, proporcionando uma colheita farta. E faz mais em um momento do que somos capazes de realizar ao longo da vida inteira.

Vocês podem parar de falar disso?

Certa vez, ouvi um pastor dizer que os principais obstáculos para o próximo passo de Deus são as pessoas que estavam na

138 O EVANGELHO ACIMA DE TUDO

linha de frente de seu último ato. Em vez de deixar os atos extraordinários de Deus no passado nos inspirar a crer na ação dele em nosso presente, idolatramos os líderes, a época e as metodologias. Então lamentamos que as coisas jamais serão como antes. Cometemos o erro gravíssimo de achar que os grandes derramamentos do poder de Deus ficaram lá trás.

Fica claro que era isso que o povo dos tempos do profeta Amós estava fazendo e Deus os repreendeu dizendo que o Senhor estava cansado de ouvi-los se gabar das glórias do passado:

> Assim diz o SENHOR ao povo de Israel:
> "[...] Não adorem nos altares em Betel,
> não vão aos santuários em Gilgal ou Berseba. [...]
> Busquem o SENHOR e vivam!".

Amós 5.5-6

Para você, talvez pareça uma lista aleatória de cidades do antigo Oriente Médio, mas não era isso que pareceria para os israelitas dos dias de Amós.

Hoje esse versículo seria mais ou menos assim: "Não me busquem no cenáculo de Jerusalém, nos corredores de Wittenberg ou Genebra, ou no tabernáculo metropolitano de Charles Spurgeon".

Veja bem, em *Betel*, Jacó teve um encontro com Deus que transformou sua vida (Gn 35.15).

Em *Gilgal*, os filhos de Israel deixaram os quarenta anos de peregrinação no deserto, creram em Deus e tomaram posse da terra prometida. Ali Deus lançou "fora a vergonha", renovou a aliança com eles, dividiu as águas do rio Jordão e derrubou as muralhas de Jericó (Js 5.9).

Em *Berseba*, Deus deu a Abraão a posse da terra prometida (Gn 21.22-34).

Cada um desses lugares representava uma época em que Deus se moveu com força e poder, na qual o céu tocou a terra. Os israelitas conheciam esses locais e falavam deles com admiração.

Fica claro que Israel havia adquirido o hábito de pensar que os grandes derramamentos do poder de Deus eram algo que havia ficado principalmente no passado.

"Não seria o máximo estar lá quando o pai Jacó recebeu a visão do céu?"

"Já pensou marchar com o exército de Josué e ver Deus derrubar as muralhas de Jericó?"

O que Deus estava lhes dizendo, na verdade, era: "Dá pra parar de falar de Betel? Não aguento mais ouvir sobre Gilgal! Busquem-me agora — em *sua* geração — e vivam. Quero agir nos seus dias. Não sou apenas um Deus do passado; sou o Deus do presente e do futuro. Meu nome não é *Eu era*, mas, sim, *Eu sou!*".

Eu me pergunto se Deus não estaria dizendo algo semelhante para nós hoje.

Parem de glorificar o Grande Despertamento.

Parem de romantizar a igreja primitiva.

Parem de idolatrar Martinho Lutero.

Parem de prestar homenagens a Charles Spurgeon.

Celebrar as obras de Deus no passado é importante, mas tais monumentos servem, em primeiro lugar, para catalisar a fé em sua disposição presente.

Quando isso não acontece, nossa admiração pelas obras gloriosas de Deus no passado *o enfada*.

Esse é um dos maiores perigos de fazer parte de uma igreja ou denominação com uma história rica.

Se você faz parte de um movimento no qual Deus fez coisas extraordinárias, provavelmente já ouviu bastante sobre "os bons e velhos tempos". Ninguém jamais *diz* que a melhor obra de Deus já ficou para trás. Mas as pessoas agem como se isso fosse verdade.

Deixe-me provar.

Pense em um instante sobre o momento em que você viu Deus se mover com maior clareza e poder. O que você estava fazendo? Provavelmente...

Você se sentia desesperado.

Você se sentia sem controle.

Você estava orando bastante.

Você confiava mais na força de Deus do que em sua própria.

Contraste isso com o espírito daqueles de nós — sim, estou me condenando aqui também — que já tiveram "sucesso no ministério" (expressão que, na verdade, deveria ser banida). Como nos sentimos *agora*?

Temos a mesma sensação de desespero *agora*?

Ou nos sentimos seguros por causa da estabilidade que os êxitos nos trouxeram?

Sou absolutamente favorável a celebrar o agir de Deus em nossas igrejas e até mesmo à construção de alguns monumentos. Mas não se isso nos impedir de olhar para o futuro com fé, de clamar a Deus em desespero, de prever que outro grande agir de Deus *está prestes a acontecer.*

Esteja sua igreja crescendo ou morrendo, seja ela frequentada por vinte ou por vinte mil, as maiores obras de Deus não estão no passado, mas à sua frente.

Elas precisam estar!

Sei disso porque ainda existem mais de quatro mil povos não alcançados no mundo, e Jesus nos disse que, antes do fim da história, o testemunho próspero do evangelho seria dado a todos (Mt 24.14; Ap 5.9). Deus moverá alguém para que aconteça uma colheita de conversões em meio a esses quatro mil grupos. A história só terminará quando a comissão for terminada. Isso significa que dias grandiosos de poder estão à frente da igreja.

> Chegou a hora de ter uma fé radical e audaciosa. Chegou a hora de orar com fé e ousadia, revestidos por uma esperança impulsionada pelo evangelho.

Portanto, creia, tenha esperança e peça!

Estude os movimentos do Espírito de Deus no passado, celebre-os, aprenda com eles, *e então siga em frente com base neles*. As maiores obras de Deus ainda estão no futuro.

Provavelmente você tem vizinhos, amigos e familiares que ainda precisam ouvir as boas-novas e crer nelas, e talvez você sinta grande preocupação por eles. Essa preocupação prova que Deus não terminou sua obra neste mundo.

Portanto, creia, tenha esperança e peça!

Não é hora de nos acomodar e esperar o fim. Não é hora de sentar na sala e conversar sobre como tudo era maravilhoso na geração anterior. Deus está produzindo vida agora mesmo à sua frente! Ele está agindo com poder aqui e agora. Ele agirá assim amanhã e ano que vem.

Chegou a hora de ter uma fé radical e audaciosa.

Chegou a hora de orar com fé e ousadia, revestidos por uma esperança impulsionada pelo evangelho.

Creia.

Tenha esperança.

E peça!

A esperança do mundo está na promessa, não no pregador

Recentemente, temos ouvido diversas coisas desanimadoras a respeito da condição da igreja em nosso país. Um número esmagador de líderes celebrados e conhecidos por seu conservadorismo doutrinário e/ou genialidade ministerial caíram em grave imoralidade. Muitos abusaram do poder que tinham para obter sexo, e alguns acobertaram esses assédios terríveis. Outros roubaram dinheiro do ministério. Outros ainda permitiram que a arrogância desmedida e um temperamento descontrolado os tornassem cruéis com seus subordinados.

Se você me pedisse, há uma década, para citar os maiores líderes jovens no ministério nos Estados Unidos, eu lhe apresentaria uma lista que contaria hoje com metade dos nomes riscados.

Provavelmente seja por isso que retorno às promessas audaciosas de Jesus a seus apóstolos em Mateus 16 em busca de esperança, vez após vez.

Após Pedro confessar que Jesus era o Messias, Jesus responde:

> Que grande privilégio você teve, Simão, filho de João! Foi meu Pai no céu quem lhe revelou isso. Nenhum ser humano saberia por si só. Agora eu lhe digo que você é Pedro, e sobre esta pedra edificarei minha igreja, e as forças da morte não a conquistarão.
>
> Mateus 16.17-18

Jesus inspirou em seus discípulos uma visão cheia de esperança quanto ao futuro, mas não uma esperança baseada na qualidade dos líderes. Em vez disso, ela se alicerçava na certeza de suas promessas.

Ele disse: "*Edificarei* minha igreja", não "Você edificará minha igreja". *Eu* farei!

A promessa dele, não a fidelidade de Pedro, seria o alicerce sobre o qual o movimento seria edificado. Na verdade, Jesus havia acabado de chamar Pedro de "Satanás" por tentar dissuadi-lo de enfrentar a cruz (Mt 16.23)!

Vamos ser bem francos:

Chamar alguém de "Satanás" está no topo da lista dos insultos de Jesus. No entanto, nem mesmo a confusão diabólica de Pedro seria capaz de impedir o que Deus deseja fazer.

Deus cumprirá seus propósitos.

A esperança da igreja está na inviolabilidade de sua promessa, não na de Pedro.

É claro que isso não dá licença para a complacência. Pois, embora tenhamos a certeza de que Deus cumprirá seus propósitos, não temos a garantia de que usará a *nós* para realizá-los.

Ele não precisa de nós. Os evangélicos precisam de sabedoria para reconhecer que, se Deus escolher usar outro grupo de fiéis para cumprir sua missão, não seríamos os primeiros a ser deixados de lado. Os judeus da época da Jesus presumiam que Deus jamais os deixaria de lado. Deus precisava deles! Certo? Mas Jesus os advertiu: "O reino de Deus lhes será tirado e entregue a um povo que produzirá os devidos frutos" (Mt 21.43).

Ele nos dá a mesma advertência.

A graça de Deus é extraordinária, mas ai de nós se não a estimarmos devidamente (Rm 2.4).

Creio que a recente aceleração na queda de líderes cristãos seja uma tentativa divina de nos acordar. Ele não permitirá que o pecado corra solto em sua igreja e, se não nos arrependermos, o Senhor tirará sua mão de nós e de nossos filhos.

144 O EVANGELHO ACIMA DE TUDO

Não abandonará seus propósitos, mas encontrará outros para cumpri-los.

Quero que meus filhos e netos cresçam em um país no qual Deus move a igreja. Mas isso não acontecerá se virarmos as costas e ignorarmos pecados desenfreados.

Até aqueles entre nós que não são culpados de escândalos morais públicos precisam reconhecer que os evangélicos perderam muita autoridade moral nos últimos anos por causa de nossa aparente tendência de fazer vista grossa ao pecado quando ele condiz com nossos interesses.

Por vezes, estivemos dispostos a acobertar abusos (ou fazer pouco caso deles) para proteger nossa reputação, mesmo que fazer isso tenha colocado em perigo outras vítimas. Mais exemplos disso podem ser encontrados em nossa abordagem recente à política. Quem não se condói ao ver os argumentos errôneos que muitos evangélicos usam para justificar falhas morais de candidatos políticos sem integridade simplesmente porque eles atendem melhor a nossos interesses? Depois de proclamar alto e bom som para nossa sociedade que o "caráter importa", parece que estamos dispostos a dar um passe livre para quem defende nossas causas.

Temos medo de nos posicionar contra o pecado em nosso arraial por medo de dar motivo para os ataques de nossos inimigos.

Mas nosso real adversário é Satanás, e acobertar pecados *sempre* promove a agenda dele. Nossa causa é o evangelho, e expor o pecado, censurá-lo e lamentá-lo sempre avança *essa* causa.

Para deixar claro, não estou argumentando que os cristãos só podem votar em candidatos perfeitos. Na verdade, nem é, em primeira instância, sobre *voto* que estou falando. Minha preocupação é a facilidade com a qual os evangélicos têm tentado minimizar a importância de coisas que sabemos, com toda clareza, com base nas Escrituras, que entristecem o Espírito de Deus simplesmente por pensarmos que o silêncio trabalha em nosso favor.

Parece que os evangélicos abordam a política com um único objetivo: *vitória tática*. E, nesse processo, sucumbimos à velha tentação de desejar poder.

Nosso testemunho é mais importante do que um lugar político à mesa.

Nossas armas não são as mesmas deste mundo.

O evangelho deve triunfar sobre o oportunismo político toda vez.

Honestidade e humildade convidam a presença de Deus. Postura política e desconsideração do pecado o afastam.

Mais uma vez, não se trata de votar no candidato A ou B. Nossas escolhas de candidatos são importantes e é um debate excelente com o qual espero que você se importe. Mas estou falando de como nos mostramos dispostos a ignorar o pecado em nosso meio.

O apóstolo Paulo diz que não devemos fazer isso sob circunstância alguma: "Que não haja entre vocês imoralidade sexual, impureza ou ganância. Esses pecados não têm lugar no meio do povo santo" (Ef 5.3).

Conforme disse John MacArthur em uma entrevista recente: "É possível que *ignoremos* os pecados nos líderes políticos que elegemos porque os toleramos em nós mesmos".[7] MacArthur afirma que as pessoas que aprovam pecados públicos provavelmente são as mesmas que os *praticam*. Ou, para citar o senador Ben Sasse: "Nossos políticos não tornam o país imoral; eles só se aproveitam de uma condição já existente".[8]

Devemos lidar com nosso desejo de receber os favores de um salvador terreno e como isso nos silencia em relação a coisas que entristecem o Espírito Santo.

Não é esse o método de Jesus.

Se ele é nossa única esperança, precisamos fazer as coisas do jeito dele.

Esperança maior

Graças a Deus, as promessas de Jesus não estão condicionadas ao nosso merecimento. Graças a Deus, a esperança da igreja não reside na qualidade de seus líderes. Uma vez que a graça de Deus é nossa esperança, mesmo quando o pregador cai, a promessa permanece.

Nós não somos "a última esperança de Deus na Terra".

Não somos Obi-Wan Kenobi.

Jesus é essa esperança.

Em uma de minhas histórias preferidas dos Evangelhos, uma mulher se aproxima de Jesus pedindo que cure sua filha, a qual era atormentada por um demônio. A resposta inicial de Jesus foi bem dura: "Não é certo tirar comida das crianças e jogá-la aos cachorros" (Mt 15.26). Mas a mulher não se deixou abater, pois sabia que ele não estava se referindo a seu gênero ou a sua raça, mas a sua falta de valor. Então responde com fé desesperada em sua graça: "Senhor, é verdade [...]. No entanto, até os cachorros comem as migalhas que caem da mesa de seus donos" (Mt 15.27).

Em outras palavras, a graça de Deus é tão profusa que cai da mesa de modo que até mesmo quem tem a dignidade de um cão pode comer até ficar satisfeito.

Aquela cananeia recebeu seu milagre.

Jesus admirou sua fé.

E ela é nosso exemplo.

É impossível exagerar na esperança diante da graça de Deus. Não dá para depender excessivamente dela. Melhor ser cachorros que se refestelam com as migalhas da mesa de Deus do que "heróis" pedindo ao Senhor que nos recompense por nossa grandeza ou nos sustente por nosso legado.

Cão com o rabo entre as pernas é a melhor postura para os servos de Deus.

O futuro continua tão empolgante quanto as promessas de Deus

Tenha certeza de que entendeu isto: a tarefa que Jesus confiou a Pedro em Mateus 16 não era meramente desafiadora; era impossível.

Tão impossível quanto mudar corações muçulmanos no sudeste da Ásia.

Tão impossível quanto um patriarca centenário gerar um filho.

E isso é uma boa notícia!

Pois a impossibilidade da tarefa pode nos levar, em desespero, a buscar as promessas de Deus, e nenhuma impossibilidade é grande demais para o poder dessas promessas. Paulo afirmou que fé é crer "no Deus que traz os mortos de volta à vida e cria coisas novas do nada", é estar "plenamente convicto de que Deus é poderoso para cumprir tudo que promete" (Rm 4.17,21).

Quando eu penso no futuro da igreja, com frequência retorno às palavras do profeta Isaías:

Ouçam! O braço do Senhor não é fraco demais para salvá-los,
nem seu ouvido é surdo para ouvi-los.
Foram suas maldades que os separaram de Deus;
por causa de seus pecados, ele se afastou
e já não os ouvirá.

Isaías 59.1-2

Em outras palavras, a falta de compaixão divina não acontece porque não há mais reavivamento. Deus não ficou repentinamente sem poder, tampouco seu amor se esfriou. O mesmo Jesus que disse: "Pai, perdoa-lhes" enquanto estava pendurado na cruz continua a suplicar em prol dos pecadores perante o trono de Deus. O problema não é uma deficiência no poder de Deus. O mesmo Espírito divino que ressuscitou Jesus dos mortos está em ação no mundo hoje.

O problema somos nós.

Deus continua desejoso de estender salvação aos confins da terra.

Ele ainda tem poder para fazê-lo.

E ainda planeja nos usar.

A pergunta é: Acreditamos nisso e estamos preparados para nos abrir a ele e seu agir?

William Carey, em meio às provas excruciantes que enfrentou ao levar o evangelho à Índia, escreveu: "O futuro é tão importante quanto as promessas de Deus".

Se você confia no compromisso de Jesus com sua igreja, o seu futuro, o futuro da igreja e o futuro de seus filhos são tão empolgantes quanto as promessas de Deus.

Por conhecermos a história de Carey — e, mais importante, por conhecermos a de Jesus — podemos ter esperança na nossa também.

A ESPERANÇA DO EVANGELHO **149**

Posso cumprir minha tarefa com fidelidade, mesmo sem ver resultados grandiosos, porque sei que, um dia, Deus cumprirá aquilo que prometeu.

Assim como o pequenino pica-pau.

Ele estava bicando um poste telefônico quando veio um raio e rachou o poste ao meio. Impressionado, o pica-pau pairou por um instante em cima do poste dividido e logo voou para longe. Reuniu alguns amigos e os trouxe de volta, dizendo: "Sim, pessoal, aí está. Vejam o que eu fiz!".

Eu quero ser assim.

Eu sei, com base nas promessas de Deus em Mateus 16.23, que ele não terminou sua obra conosco. Conforme já disse, ainda existem mais de quatro mil povos não alcançados no mundo. Deus diz que abençoará os seus *em benefício deles*. Afirma também que deseja ser misericordioso conosco e resplandecer sua face sobre nós — não para nossa glória, mas para que ele se torne conhecido em toda a terra (Sl 67).

> Com as promessas imutáveis da Palavra de Deus como nosso fundamento e o Espírito Santo como guia, podemos, mais uma vez, "esperar grandes coisas de Deus e fazer grandes coisas para Deus".

Com as promessas imutáveis da Palavra de Deus como nosso fundamento e o Espírito Santo como guia, podemos, mais uma vez, "esperar grandes coisas de Deus e fazer grandes coisas para Deus".

A esperança de Obi-Wan Kenobi (e, posteriormente, Luke Skywalker) criou uma cultura de esperança em meio à rebelião. Com alguns líderes bons e pequenas vitórias, eles se arregimentavam em prol da causa rebelde. Acreditavam que tinham o necessário para derrubar a estrela da morte.

Em Cristo, temos algo melhor que Luke Skywalker e R2-D2.

Temos um Salvador que conquistou uma vitória decisiva na cruz. E porque ele venceu, você pode ter a certeza de que vencerá também.

Esse tipo de esperança faz mais do que animar nosso espírito quanto ao futuro.

Esse tipo de esperança muda nossa confiança no presente.

Encontramos, nas promessas de Deus, a liberdade de viver com dedicação inconsequente. A esperança nas promessas de Deus nos liberta para amar, perdoar e servir aos outros assim como Jesus tão graciosamente nos serviu.

E por termos tanta confiança na bondade dele para conosco, mudamos nossa maneira de falar uns com os outros — e uns sobre os outros.

A esperança do evangelho sempre produz uma cultura de graça extravagante e terna.

E é dela que agora falaremos.

6

A graça do evangelho

....

*A maior causa do ateísmo no mundo hoje são os cristãos
que reconhecem Jesus com os lábios, mas saem pela porta
e o negam com seu estilo de vida. É nisso que o mundo
incrédulo acha absolutamente impossível de acreditar.*

BRENNAN MANNING

Imagine jantar sabendo que a pessoa a sua frente na mesa é
contrária a tudo aquilo que você considera mais precioso. Ela
acredita que você está no caminho errado e que suas crenças
são destrutivas tanto para você quanto para todos a sua volta.
Que você é atrasado, ignorante, fanático e vergonhoso. Isso é
dito para você com regularidade, tanto em particular quanto
em público, chegando ao ponto de publicar um artigo de opinião a seu respeito no jornal da região.

Agora imagine convidar essa pessoa para vir a sua casa diversas vezes, na frente de seus filhos, para que ela lhe diga isso
com regularidade.

Rosaria Butterfield conta que foi a decisão de um casal cristão de fazer exatamente isso que a levou à fé em Cristo.

Na época, Butterfield era lésbica e morava com sua par-
ceira, a quem amava profundamente. Era uma defensora
comprometida dos direitos LGBT e coautora da primeira
política de parceria doméstica da Universidade Syracuse.
Ela conta que seu objetivo era pesquisar em primeira mão
a direita religiosa, grupo que ela acreditava ser não só

anti-intelectual como também antiamericano. Não entendia por que os cristãos não paravam de atrapalhar as pessoas a viver em liberdade.

Butterfield tinha forte embasamento intelectual para suas convicções e estava preparada para refutar a ignorância por trás das convicções do pastor Ken e de sua esposa Floy.

Mas não estava preparada para ser tratada com tamanha compaixão.

Butterfield explica que foi tomada por emoção diante da gentileza que lhe demonstraram e da autenticidade do amor do pastor, sua esposa e seus filhos por ela.

E continuava voltando à casa deles.

Não conseguia evitar. Vez após vez. Mês após mês.

Por dois anos.

Por meio do relacionamento com esse casal, Butterfield experimentou o amor de Cristo no evangelho. Por meio da hospitalidade radical — como ela gosta de chamar — e da bondade, ela viu a beleza de Deus.

O triste é que bondade e graça não costumam ser as palavras que vêm à mente das pessoas em primeiro lugar ao pensar em nós, cristãos.

Abdullah é o capelão islâmico de uma das universidades da região de Raleigh-Durham, onde moro. Uma das muitas características de que gosto em Abdullah é sua franqueza. Às vezes, quando eu digo algo de que ele discorda, Abdullah simplesmente sorri, balança a cabeça e murmura: "Ah não, não, não".

Há alguns anos, Abdullah e eu fomos convidados para um debate religioso na Universidade da Carolina do Norte em Chapel Hill. Em geral, meu papel nesses painéis é ser o símbolo do "cristão evangélico", que, dentro da academia, é basicamente o mesmo que um verdadeiro Neanderthal.

É claro que setecentos alunos apareceram para ver se o imame Abdullah e o rabino acabariam com o evangélico ~~troglodita abestado~~ escolhido.

Mas o debate correu bem. As pessoas esperavam mais faíscas. Não que Abdullah e eu tenhamos sorrido e concordado um com o outro o tempo inteiro. Pelo contrário. Éramos bem claros em afirmar que achávamos que o outro estava errado. Tentamos explicar isso. Mas nós *gostamos* um do outro e tratamos um ao outro com respeito.

Aquele debate desencadeou uma amizade que dura vários anos e já incluiu diversas refeições, conversas e reuniões entre as duas famílias. Ele até já visitou nossa igreja no culto da véspera de Natal.

Pouco depois de nosso primeiro debate, outra universidade ficou sabendo o quanto nosso diálogo fora proveitoso e resolveu fazer seu próprio painel. Dessa vez, Abdullah foi convidado, mas eu não, pois o evento seria realizado em uma universidade particular da região, cristã e liberal. Então não queriam um *evangélico* representando o cristianismo. Por isso, chamaram um de seus professores de Religião.

Abdullah me ligou depois que o debate terminou, pois queria processar comigo o que havia acontecido. Quando perguntei como tinha sido, ele disse:

— Nada bom. Acho que sou mais cristão do que aquele professor.

Eu não soube ao certo como reagir. Estou acostumado a ouvir cristãos excomungando uns aos outros. Mas ouvir um muçulmano excomungar um cristão foi novo para mim.

— Como assim? — perguntei.

— Bem, toda vez que a Bíblia era mencionada, ele parecia envergonhado e gastava mais tempo explicando por que ela não significa o que diz abertamente.

Fez uma pausa e então continuou:

— Sabe, pastor, parece-me que seu mundo cristão enfrenta um dilema. De um lado, há pessoas que acreditam na Bíblia.

> **É possível crer apaixonadamente na verdade e aceitar os outros com graça?**

E, pelo menos na mídia, esse grupo parece ter um espírito intolerante em relação aos muçulmanos. Em contrapartida, vemos cristãos como esse professor, que não acreditam na Bíblia, mas têm um espírito tolerante para conosco. Seu mundo cristão parece ter apenas duas alternativas: acreditar na Bíblia e ser ruim, ou negar a Bíblia e ser amoroso. E como a maioria não nega a Bíblia tão abertamente quanto esse professor, as pessoas se sentem forçadas a presumir que a crença na Bíblia deve ser acompanhada por um espírito intolerante e cheio de ódio.

Ai!

Abdullah continuou:

— Eles precisam daquilo que eu vejo em você. Você acredita em tudo que a Bíblia diz. Acredita que, quando eu morrer, não irei para o céu. Ainda assim, tem um espírito generoso para comigo e minha família. Genuinamente quer ser meu amigo.

Abdullah está absolutamente certo, é claro. Mas sua ideia não é muito politicamente correta.

A ideia predominante hoje é que o único caminho para um diálogo pacífico é por meio de concessões. Pela defesa *menos* intensa das próprias crenças. Quanto mais agimos como se acreditássemos nas mesmas coisas, mais nos relacionaremos bem. No entanto, como Abdullah sabia muito bem, isso não é diálogo, mas, sim, ilusão.

É possível crer apaixonadamente na verdade e aceitar os outros com graça?

Graça *e* verdade

Jesus era conhecido como alguém "cheio de graça e verdade" (Jo 1.14). Ele possuía ambos os atributos de forma plena e isso o tornava, ao mesmo tempo, intolerável e irresistível. Ele falava com tamanha clareza que seus inimigos só sossegaram depois de matá-lo. Todavia, exalava tamanha graça que muitos dos que discordavam dele ainda assim não resistiam a estar em sua presença.

O que as pessoas sentiam com Jesus é o mesmo que Rosaria Butterfield experimentou em sua amizade com o pastor Ken e sua esposa Floy.

Bondade irresistível.

Graça avassaladora.

Verdade constante.

A falha na graça ou na verdade nos coloca em descompasso com Jesus.

Verdade sem graça é fundamentalismo. Graça sem verdade é sentimentalismo.

Para acabar com a tensão nesse ponto, vamos refletir sobre o ensino de Jesus que possivelmente seja o mais incompreendido de todos.

Julgar ou não julgar?

Não realizei uma pesquisa sistemática, mas tenho fortes motivos para achar que o versículo mais popular da Bíblia hoje é Mateus 7.1, ou, pelo menos, a parte que a maioria das pessoas conhece: "Não julguem".

Certa vez, digitei no Google "A Bíblia diz para não..." e o mecanismo de busca completou automaticamente com as cinco pesquisas mais populares.

A Bíblia diz para não... se preocupar.

A Bíblia diz para não... fazer tatuagem.

A Bíblia diz para não... comer (essa busca me fez pensar que Bíblia o Google usa — sem dúvida não é uma Bíblia batista do sul. Acho que as Bíblias que vendemos em nossa denominação vêm com um cupom de 10% de desconto em uma churrascaria).

Brincadeira.

Mas a resposta mais popular de todas era: "A Bíblia diz para não... julgar".

Já ouvi até Bill Maher, que não é conhecido pelo domínio das Escrituras, citar a passagem *para* os cristãos. Há algo nessa pequenina ordem direta que parece se encaixar no humor de nossa sociedade. Especificamente, parece captar dois dos pressupostos mais básicos de nossa sociedade: (1) a religião é particular, e (2) a moralidade é relativa.

> O antídoto para os julgamentos é uma cultura saturada pelo evangelho da graça.

As pessoas amam "não julgar" porque parece uma forma prática de dizer: "Você não pode me falar que estou errado". É a melhor arma dos descrentes para tirar os cristãos do seu pé.

Não dá para discutir com a Bíblia, certo?

O problema é que Jesus — aquele que disse essas palavras — não partilhava de nossos pressupostos sobre a importância de guardar para si as opiniões sobre moralidade. Ele fazia juízos de valor em público o tempo inteiro, e muitos deles eram bem incisivos.

Ele chamou de más as obras de algumas pessoas (Jo 7.7). Em Mateus, disse para um grupo de pessoas sinceras: "Vocês estão errados, pois não conhecem as Escrituras, nem o poder de Deus". Então, sem dúvida, ele não estava afirmando: "Guarde para si suas opiniões sobre religião e moralidade".

Quando Jesus denunciou o ato de julgar, não estava nos instruindo a parar de avaliar opiniões ou comportamentos. Em vez disso, ensinou-nos a evitar uma postura crítica e desprovida de graça que condena outras pessoas, que lhes diz a verdade e então as afasta.

Era esse tipo de comportamento que Rosaria Butterfield esperava.

Mesmo quando Jesus dizia às pessoas que elas estavam erradas e suas obras eram más, João 3.17 conta que Jesus não estava no mundo para *condená-lo*, mas, sim, para *salvá-lo*.

Falar uma verdade dura não é o mesmo que condenar.

Julgar não é proferir uma verdade dura. O fato de julgar ou não é determinado pelo que você faz *depois* de dizer a verdade.

Julgar vai além de dizer uma verdade dura: "Isto é errado". E passa para a esfera de: "Não quero mais você por perto".

O antídoto para os julgamentos é uma cultura saturada pelo evangelho da graça. Uma cultura que sente como Jesus.

Creio que existem sete sinais que revelam a realidade de que vivemos em meio a uma cultura de julgamento, em lugar do evangelho da graça.

1. Ficamos mais enfurecidos com o pecado dos outros do que com o nosso.

Se você foi transformado pelo evangelho, seu espanto principal não é com o pecado dos outros, mas com o seu! Dietrich Bonhoeffer diz que um dos primeiros sinais de maturidade cristã é uma frustração com a hipocrisia da igreja e o desejo de

158 O EVANGELHO ACIMA DE TUDO

se separar dela. Mas o sinal *seguinte* de crescimento é reconhecer que a mesma hipocrisia da igreja está presente *em si mesmo*. Devemos confrontar os outros em seu pecado, mas sempre com a dolorosa consciência dos nossos. No instante em que achamos mais ofensivo o pecado dos outros que o pecado em nosso coração, afastamo-nos do reino da graça.

Sempre haverá um papel vital do confronto na vida cristã. O próprio Cristo disse: "Se um irmão pecar, repreenda-o e, se ele se arrepender, perdoe-o" (Lc 17.3). Conforme disse Paulo, porém, quando o fazemos devemos ter a consciência de que temos a mesma natureza que eles e que, se Deus levasse em conta nossas iniquidades, nenhum de nós permaneceria de pé (Gl 6.2).

Por exemplo, quando o salmista pede proteção do pecado, roga que seja impedido de ceder a pecados que ele deseja cometer e também dos pecados que nem imagina estar cometendo (Sl 19.12). Não importa o quanto você imagine ser justo, sempre existem pecados que você não enxerga. "Pontos cegos" e "áreas de fraqueza" não significam a mesma coisa. Por definição, pontos cegos são regiões de pecado em seu coração das quais você nem sequer tem consciência. Se tivesse, não seria um ponto cego. O conselheiro cristão Paul Tripp diz que, embora sejamos cegos a nossos próprios pecados, os outros têm visão impecável. Somos sábios ao dar mais ouvidos aos outros em relação aos nossos pecados pessoais do que ao recriminar os deles.

2. Recusamo-nos a perdoar. Ou, quando perdoamos, recusamo-nos a esquecer.

A recusa em perdoar alguém corresponde a ignorar intencionalmente a enormidade daquilo que Deus perdoou em nós. Já ouvi dizer que "perdoar sem esquecer é uma distinção sem diferença". É apenas uma maneira de dizer: "Vou dizer que perdoei você para me sentir melhor, mas demonstrarei que não perdoei de verdade lembrando-o o tempo inteiro do quanto você ainda me deve por causa do que fez". Isso não é perdão nenhum. Perdoar é absorver a dívida e oferecer apenas amor e bondade em troca, sem exigir nada.

3. Bloqueamos aqueles que discordam de nós.

Essa é a *essência* de julgar. Quando alguém não se encaixa em seu "padrão" de comportamento ou convicção, você se recusa a recompensá-lo com seu amor ou sua presença. Por discordar dele, você dá o passo adicional de cortá-lo de sua vida. O que está dizendo com isso é: "Não podemos ser amigos se discordarmos a esse respeito".

Pense nisto: a maior declaração de julgamento é "Afastem-se de mim, vocês que praticam a iniquidade".

Os cristãos jamais dizem isso a ninguém, pois não receberam o papel de julgar.

Jesus nunca disse isso a ninguém aqui neste mundo. Ele previu que um dia (no céu) dirá isso, mas não neste mundo. Mesmo depois de Judas traí-lo com um beijo, ele o chamou de "amigo" (Mt 7.23; 26.50).

Devemos fazer o que Jesus fez. Falar a verdade e então estender bondade e amor, constantemente nos aproximando das pessoas, à medida que elas permitem. Mesmo que isso nos custe a vida.

Jesus nos diz que devemos amar mais a pessoa de quem discordamos do que amamos nossa opinião sobre determinado assunto. Isso não significa fazer concessões ou diluir nosso posicionamento. Em vez disso, quer dizer que estamos

160 O EVANGELHO ACIMA DE TUDO

comprometidos com as pessoas que discordam veemente-mente de nós e mantemos um relacionamento com elas.

4. *Nós fofocamos.*

Fofocar é julgar porque condena, de certo modo, as pessoas de quem estamos falando. Não as convida de maneira reden-tora a um comportamento melhor (isso seria um confronto feito em graça); antes, relega-as arrogantemente à posição de indivíduos falhos e merecedores de escárnio. E o que torna a fofoca tão perigosa é que julgamos alguém sem nem lhe dar a chance de saber que estamos fazendo isso! Nem sequer lhe da-mos a oportunidade de mudar. É como se não achássemos que a pessoa pode mudar, ou que não vale a pena o desconforto relacional de confrontá-la para que tenha essa possibilidade. Em alguns aspectos, a fofoca é a maior forma de julgamento porque calunia a pessoa sem nem lhe dizer. Mesmo que você mascare sua fofoca na forma de "pedido de oração" ou a sua-vize com a típica expressão "coitado do fulano...", todos conti-nuam a entender o que você está fazendo.

5. *Recusamo-nos a corrigir a posição de alguém.*

Por mais irônico que pareça, *não* dizer às pessoas que elas es-tão erradas é uma forma de julgá-las. Quando você, cristão, se recusa a corrigir alguém, é por um destes dois motivos: (1) você não acredita que a Bíblia é verdadeira, ou (2) você não acha que o outro é capaz de mudar. Nenhum desses motivos honra a Deus. Assim como no caso da fofoca, presumir que o outro *não vai* mudar ou *não vai* ouvir já é julgar e condenar desde o início. Você os condena ao pecado sem ao menos lhes dar a chance de receber graça. Lembre-se, Deus tem poder para fazer o que quiser. O coração moldado pelo evangelho jamais abre mão dessa esperança.

6. Recusamo-nos a aceitar críticas.

Pergunte a si mesmo: *"Por que* eu odeio tanto as críticas?"'. Não seria por odiar admitir que você tem defeitos? Você se considera mais um "justo qualificado para julgar" do que um "pecador necessitado da graça". Acha mais apropriado atuar como juiz do que ser julgado.

No entanto, se você entende o evangelho, suas falhas não deveriam surpreendê-lo. Quando outros apontam para sua depravação, você deveria dizer: "Claro! Aliás, provavelmente sou mais pecador do que você reparou. Mas não tenho medo disso, porque não há nada revelado a meu respeito que o sangue de Jesus já não tenha limpado!". E esse reconhecimento mudará sua forma de apontar para o pecado dos outros.

7. Descartamos as pessoas, como se não houvesse esperança para elas.

Descartar pessoas e considerá-las sem esperança significa pensar que não há salvação para elas. Você as julga. Paulo disse que o evangelho é o poder de Deus para a salvação de *todo* aquele que crê. Não é seu papel criar um adendo a isso.

Se você não está morto, Deus não terminou sua obra.

Se o outro não está morto, ainda existe esperança.

Graça que se espalha pelas ruas

Uma cultura moldada pela graça do evangelho faz mais do que apenas *falar* às pessoas com graça; ela derrama sobre elas a generosidade de Jesus.

Conforme já observamos neste livro, os cristãos estão se tornando cada vez menos populares em nossa sociedade.

Desculpe se essa é uma novidade desagradável para você. Mas estudos revelam que as pessoas se sentem mais confortáveis em conversar com um fiscal da Receita Federal do que com um cristão evangélico.

Ai!

Por causa disso, muitos cristãos estão prontos para a guerra: "É hora de mostrar a todos quem são os verdadeiros justos!".

Épocas de crise requerem medidas desesperadas, certo? Quem tem tempo para ser polido e educado quando estamos sofrendo ataques?

Mas nós não procuramos respostas em nossa cultura.

Nós as buscamos em Jesus.

Ao consultar as Escrituras, descobrimos o exemplo imutável de Cristo, que "não revidou quando foi insultado" (1Pe 2.23).

Jesus não venceu o pecado combatendo os pecadores. Ele venceu o pecado morrendo por causa do pecado e ressuscitando dos mortos a fim de derrotá-lo. Do outro lado de sua morte, estava o poder da ressurreição.

E ele nos oferece o mesmo padrão.

Estender a graça do evangelho significa que, às vezes, você se sentirá ridicularizado e derrotado em público. Incompreendido. Abandonado.

Foi assim com Jesus.

Mas não se esqueça de que o caminho da cruz leva ao poder da ressurreição.

Esse padrão é hoje mais importante do que nunca. Nosso mundo está enfermo e necessita do bálsamo de cura do evangelho. Precisamos ter como objetivo alcançar o mesmo paradoxo que Jesus personificou em seu ministério.

Graça *e* verdade.

Somente essa fórmula crucial do evangelho liberta as pessoas. Devemos não só falar a verdade de Cristo, como também fazê-lo com o espírito de Cristo. Caso contrário, estamos mentindo a respeito dele — a despeito do que dissermos.

A verdade do evangelho em nossas igrejas precisa ser equiparada pela generosidade do evangelho nas ruas. Se retomarmos esse paradoxo de graça e verdade, ficaremos surpresos com o número de muralhas construídas por nossa sociedade que ruirão.

Há vários anos, nossa igreja começou a reconhecer que havia entendido errado esse equilíbrio. Nosso foco estava na proclamação da verdade do evangelho no púlpito, mas nenhuma generosidade do evangelho saía de nossas portas. Guiados pelo Espírito, decidimos nos tornar uma igreja que abençoaria a cidade. Com a boca. E com as mãos.

Além de plantar outras igrejas na cidade, significou descobrir onde nossa cidade estava ferida e levar a cura de Cristo a esses lugares.

Então começamos a nos perguntar: "Para onde podemos levar grande alegria em nossa cidade como demonstração do evangelho?".

Agendei uma reunião com o prefeito e lhe pedi que listasse as cinco partes mais desprivilegiadas de nossa cidade para que pudéssemos nos envolver.

"Escolas." Foi sua primeira resposta.

E assim nasceu nosso ministério local de serviço, o ServeRDU.

O início foi modesto. Por meio de um professor, ficamos sabendo de uma família em necessidade de moradia temporária. Um dos membros de nossa igreja estava prestes a se

164 O EVANGELHO ACIMA DE TUDO

casar e pediu aos convidados que encaminhassem quaisquer presentes de casamento a essa família, a fim de equipar a casa. Recebemos permissão de entrar na escola para pintar salas de aula, limpar o chão e levar café da manhã para os professores. Então o diretor nos convidou para ir orar pelos alunos durante seus exames finais. Isso levou a uma parceria de longo prazo de tutoria entre os membros e os estudantes em situação de vulnerabilidade. Após vários anos de nosso envolvimento, a escola recebeu o prêmio de "maior crescimento" porque as notas nas avaliações padronizadas de fim de ano figuraram entre as maiores do país.

Era isso que significava servir nossa cidade com graça.

Pela misericórdia e pelo poder de Deus, esse ministério continuou a se expandir.

Anos depois daquela primeira visita, fui convidado a falar na homenagem anual de nossa cidade a Martin Luther King Jr. A população de Durham é composta por 40% de afro-americanos, então esse evento é extremamente importante. Eu concordei, mas, por não ser o convidado típico para fazer o discurso principal em uma homenagem pública ao dr. King, fiquei uma pilha de nervos.

O administrador do município, ao perceber minha ansiedade, disse algo de que jamais me esquecerei.

— J. D., você sabe por que foi convidado a falar hoje?

— Não, senhor — respondi.

— É por causa do quanto sua igreja tem abençoado nossa cidade.

Outro funcionário da prefeitura me confidenciou mais tarde, naquele mesmo evento:

— Parece que em todos os lugares desta cidade em que existe alguma necessidade, encontramos alguém da Summit

Church suprindo essa falta. E não conseguimos pensar em ninguém melhor para personificar o espírito de amor fraternal que desejamos homenagear hoje do que todos vocês da Summit. Deus continua a renovar o chamado para servir nossa cidade.

Ele tem levantado novos líderes em nosso meio para desenvolver ministérios diferentes e inovadores. Nossa igreja — e *cada* igreja — existe para servir a cidade, trazer alegria e espalhar a graça extravagante de Deus pelas ruas. E não é de se espantar que a graça tenha aberto portas em segmentos de nossa sociedade que jamais teríamos conseguido alcançar de outras maneiras.

Como, por exemplo, dentro das prisões.

Há um fluxo constante de encarcerados que começaram a frequentar nossos cultos todos os fins de semana por meio de um programa que permite que os presos cumprindo o fim da sentença saiam por algumas horas todo fim de semana com famílias de nossa igreja que os "apadrinham". Muitos aceitaram a Cristo. Aliás, minha história favorita de dízimos e ofertas vem de um encarcerado que nos entregou cinco dólares junto com o seguinte bilhete:

"Sei que não é muito, mas é 10% do que tenho. Ainda não consigo frequentar a classe bíblica para me tornar membro (por razões óbvias), mas já me sinto parte da igreja. Faz um ano e meio que fui salvo, e consigo ver Deus transformando minha vida. Sua pregação é como os *raps* do Tupac: a verdade nua e crua, só que apresentada no púlpito".

Não é exatamente o mesmo que ouvir: "Você prega como Billy Graham", mas devo admitir que me senti lisonjeado.

Os cristãos devem ser conhecidos por seu amor descomunal pelo próximo e pelas nações. Houve uma época em que a graça

166 O EVANGELHO ACIMA DE TUDO

dos cristãos era evidente de forma tão avassaladora na comunidade ao redor que o testemunho da igreja chamava atenção por onde passava. No quarto século, o imperador romano Juliano reclamou da bondade dos cristãos de sua época: "Como podemos deter o crescimento desses galileus miseráveis? Eles cuidam não só dos próprios pobres, mas dos nossos também!".

Já pensou se fosse *essa* a reclamação da cultura contra nós?

Não seria ótimo o mundo nos odiar por amá-lo bem demais? O funcionário da prefeitura sair irritado do escritório do prefeito dizendo: "Não acredito! Vamos ter que cancelar mais um programa do governo porque os cristãos já atenderam a essa necessidade"?

Pode parecer motivo de riso para você, mas talvez seja apenas um sinal do quanto estamos distantes do evangelho.

O pastor Ray Ortlund, no livro *O evangelho*, observa que a cultura da graça deveria acompanhar naturalmente a doutrina do evangelho, e quando isso não acontece, algo está terrivelmente errado, mesmo que usemos todas as palavras certas em nosso credo.

> Uma igreja com a verdade do evangelho em sua teologia pode produzir o contrário do evangelho em sua prática. O Senhor ressurreto disse a uma de suas igrejas: "Você diz: 'Sou rico e próspero, não preciso de coisa alguma'. E não percebe que é infeliz, miserável, pobre, cego e está nu" (Ap 3.17). O problema não era a doutrina em que acreditavam, mas o que haviam se tornado na esfera pessoal e nem sequer percebiam. Contudo, para o Senhor estava claro: "Sei de tudo que você faz" (Ap 3.15). Logo, eles precisavam ir a Cristo com humildade, abertura e honestidade.[1]

Ortlund continua com esta declaração pungente: "Sem a doutrina, a cultura será fraca. Sem a cultura, a doutrina não terá razão de ser".[2] Em outras palavras, podemos pregar "O que Jesus faria em meu lugar" o quanto quisermos, mas se isso não levar nossos membros a dizer: "Deixe-me trazer o amor de Jesus para o *seu* lugar", não convencerá um mundo que busca uma história melhor em que acreditar e uma comunidade melhor a qual pertencer.

A doutrina do evangelho que não é acompanhada pela graça do evangelho é mortal tanto para a cultura quanto para a igreja que a ministra.

Graça que satura primeiro os bancos

No entanto, antes que o amor do evangelho possa se espalhar pelas ruas, primeiro ele precisa saturar os bancos da igreja. Infelizmente, esse pode ser o lugar onde menos o identificamos.

Francis Schaeffer tinha o costume de dizer que o amor em ação era a "apologética final" de Cristo a um mundo cético. Em geral, interpreta-se que isso significa que devemos validar a mensagem de Cristo por meio da profusão de generosidade para com os de fora. Mas Schaeffer estava se referindo de maneira específica ao amor que existe *entre* os cristãos. Jesus também disse isso (Jo 13.35). Ele nos disse que o mundo saberia que somos dele por nossa maneira de amar *uns aos outros*.

> A doutrina do evangelho que não é acompanhada pela graça do evangelho é mortal tanto para a cultura quanto para a igreja que a ministra.

Não em primeiro lugar por nossa maneira de amar *o mundo*.

Mas por nossa maneira de amar *uns aos outros*.

Algumas das pessoas mais zelosas para impactar o mundo com o amor do evangelho negligenciam essa dimensão crucial

168 O EVANGELHO ACIMA DE TUDO

da graça do evangelho primeiro dentro da família da fé. Certa vez, fiz parte de um estudo bíblico sobre Gálatas no qual os participantes se revezavam na leitura. O irmão responsável pelo capítulo 6 chegou ao versículo 10, que diz: "Façamos o bem a todos, especialmente aos da família da fé". Então comentou: "Sabem, não concordo muito com isso. Devemos concentrar nossas boas obras nos de fora, não em pessoas que já são cristãs".

Admirei o zelo evangelístico daquele irmão, mas ele estava cometendo o mesmo erro de muitos cristãos: negligenciando o fato de que o amor cristão deve ser expresso e vivido primeiro *dentro da igreja*. Bem, isso e o fato de que ele achava que podia corrigir a Bíblia...

Se o amor não for vivido primeiro dentro da família cristã, como poderemos estendê-lo ao restante do mundo? A graça só pode ser *derramada* nas ruas se transbordar primeiro no coração do povo de Deus, a igreja.

A igreja foi criada para ser um milagre de amor tão grande que as pessoas de fora veriam a imagem de Cristo simplesmente em nossa maneira de nos relacionar *uns com os outros*. Mark Denver, pastor em Washington, DC, chama isso de "tornar visível" o Cristo invisível.[3]

Amo essa imagem.

Ela me lembra meu fascínio infantil com os super-heróis — um fascínio que diminuiu apenas muito ligeiramente na idade adulta.

Quando garoto, eu gostava de me vestir como os super-heróis o tempo inteiro. Eu era o Batman, o Super-Homem, o Homem-Aranha... mas nunca o Homem Invisível. O mais perto disso que cheguei foi entrar no quarto da minha irmã quando ela não estava em casa, bagunçar as coisas dela e dizer que o Homem Invisível fizera aquilo (ela não achou graça nenhuma).

Na televisão, quando alguém queria que o Homem Invisível aparecesse, jogava tinta nele. Isso permitia ver sua silhueta e rastrear seus movimentos.

É isso que a igreja faz para Jesus.

Somos a tinta derramada na vida da igreja, que torna visível o Cristo invisível. Na comunhão, na santidade de vida, na diversidade cultural, nos atos abnegados de amor, no perdão e na ousadia, a igreja revela os contornos do Cristo eterno, celestial e belo que habita dentro de nós.

Dizendo de forma clara: quem crê no evangelho deve se parecer com o evangelho. E isso começa com nossa forma de nos relacionar com nossos irmãos e irmãs.

Infelizmente, não tenho certeza de que a forma que vemos os cristãos tratarem uns aos outros, especialmente em público e nas redes sociais, seria descrita de modo geral como "cheia de graça e verdade".

Esse tema pode precisar de um livro inteiro só para ele, mas, antes de encerrar o capítulo, permita-me sugerir cinco formas rápidas de nossa graça e generosidade moldarem nossas interações com os outros cristãos, sobretudo em situações de discordância.

1. Dê o benefício da dúvida.

Em nossas reuniões com a equipe que trabalha na igreja, dizemos isso *o tempo inteiro*. É uma frase que quero que nossos colaboradores sejam capazes de repetir sem nem precisar pensar. Digo-lhes que se eu entrar na casa de um deles às três da manhã sem ser convidado e os acordar do sono mais profundo, as primeiras palavras a sair da boca deles deve ser: "Dê o benefício da dúvida!" (as palavras seguintes provavelmente não seriam apropriadas para sair em um livro cristão).

Enquanto interagimos com os outros, existem literalmente milhares de oportunidades de *dar* ou *recusar* o benefício da dúvida. Se deixamos o evangelho moldar nossas interações, escolhemos dá-lo com mais frequência do que o recusamos.

Gosto de compartilhar com nossa equipe pastoral algo que ouvi pela primeira vez Jeff Bezos, da Amazon, explicar: quando surgir um conflito, presuma duas coisas em relação a seus colegas de trabalho, a saber, (1) que eles são inteligentes, e (2) que eles têm boas intenções. Se conseguirmos acessar essas duas convicções com frequência, 90% dos conflitos desaparecerão antes mesmo de começar. É claro, porém, que tais convicções não são naturais. Em minha experiência, no momento em que o conflito começa, eu inerentemente presumo o contrário (que as pessoas são burras ou más). Surge uma nova ideia que achamos ruim. Uma nova prática da área de recursos humanos significa mais trabalho. Uma ótima ideia (nossa, é claro) não sai do papel. Em cada um desses casos, somos tentados a presumir que *alguém* é tolo ou vilão. Quem sabe ambos.

Mas o evangelho nos aconselha a começar presumindo o oposto: o amor "tudo suporta, tudo crê". Isso significa começar com o pressuposto do benefício da dúvida.

Que mensagem passamos para o mundo quando há brigas e xingamentos constantes em nosso meio? Demonstremos um caminho mais excelente.

2. Presuma o melhor em relação aos outros.

Essa ideia anda lado a lado com a anterior, mas é tão importante que resolvi abordá-la de dois ângulos. Afinal, algo crucial para o aprendizado é a repetição e redundância, ou seja, dizer as mesmas coisas vez após vez.

Presumir o melhor significa aceitar a melhor narrativa possível sobre alguém e sobre suas motivações. Um professor de religião que conheço diz que "presumir o melhor" significa "preencher as lacunas com confiança". É assim que ele descreve esse processo:

Todos sabemos como é enfrentar uma lacuna entre expectativa e realidade. Seu filho deveria chegar em casa às 22h (expectativa), mas só cruzou a porta às 22h20 (realidade). Um projeto importante começa a ser executado em seu trabalho (realidade), sem ninguém o consultar antes (expectativa).

Quando percebemos uma lacuna, temos uma escolha.

Nossa tendência natural é preencher a lacuna com suspeitas: Ele atrasou porque não me respeita.

Ela não me consultou porque acha que não tem nada a aprender.

Ele é assim e assado porque é um fanático.

Mas cultivar uma cultura de confiança significa escolher preencher a lacuna das motivações com confiança.

Para que você não pense que isso é difícil demais, lembre-se de que já existe uma pessoa em sua vida que você tende a tratar dessa maneira: você mesmo. Você "preenche a lacuna com confiança" toda vez consigo mesmo (até quando provavelmente não deveria fazê-lo). O que necessitamos fazer é estender essa mesma bondade aos outros.

Presumir o melhor não significa usar óculos com lente cor de rosa, nem permitir ser ludibriado (sempre quis usar essa palavra em um livro!). No entanto, se nossa postura for de confiança, abordaremos as pessoas com perguntas, em vez de acusações. Presumiremos que existe alguma informação que desconhecemos. Como resultado, nosso tom será mais: "Você não costuma ser assim. Está acontecendo alguma coisa?".[4]

3. Promova uma cultura de graça.

A palavra de ordem aqui é *cultura*. Isso significa que interagimos com o mundo ao nosso redor. Ao se lembrar de nós, as pessoas devem ter em mente não só nossas firmes convicções sobre a verdade, mas também o abraço caloroso e a aceitação que receberam. Afinal, a vida cristã não é um reduto fechado no qual você só interage com pessoas que concordam com suas opiniões. Você não gostaria que o *mais* lembrado a nosso respeito fosse não apenas as verdades que lhes dissemos, mas a forma que os amamos?

Por que a graça não caracterizaria todas as nossas interações? Apenas isso mudaria todo o tom da guerra cultural. Graça gera graça.

Há um exemplo fascinante de como a graça gera graça, muda o tom e extrai o melhor de todos em uma experiência contada no livro *Todo mundo foi convidado, menos eu?*. A autora Mindy Kaling (que faz o papel de Kelly na série *The Office*) fala sobre o período em que fez parte do elenco e lamentou o quanto era difícil fazer Steve Carell (que dava vida a Michael Scott) falar mal de outros atores da série — ou de qualquer famoso. Ela diz que ele exala uma bondade tão grande e gentil que chega a ser assustador.

Kaling diz que seu objetivo durante as gravações era fazer Steve Carell falar mal de alguém. O elenco se reunia e convidava Carell para uma conversa com uma expressão que dizia: "Estamos falando mal de fulano para aumentar nosso vínculo".[5]

Vez após vez, ele simplesmente não participava. Sorria e pedia licença com gentileza. Kaling não conseguia entender como alguém poderia ser — para usar as palavras dela — tão exasperantemente simpático.

Acho que Michael Scott por fim teve seu desejo realizado:

Quero que eles me temam ou me amem?
Quero que temam o quanto me amam.

Os atos de Carell promoviam uma cultura da graça que impactava o estado de espírito do elenco e a química em cena e, assim, a qualidade do programa — transformando-o em uma das séries de comédia mais bem-sucedidas de todos os tempos. Eu mesmo já estou assistindo pela sexta vez!

Por crer no evangelho, você deve pensar em si mesmo como um agente cuja missão é promover graça em cada interação.

Então, por exemplo, quando você ouvir um cristão falando mal de outro, não deixe passar. Incentive seus colegas a "preencher as lacunas com confiança". Mesmo que o conflito seja sobre alguém que você não conhece, corte pela raiz. Diga: "Vamos presumir que o Sílvio da Silva é inteligente e tem boas intenções" tantas vezes que as pessoas se cansem de ouvir.

Dá para levar isso longe demais, é claro. Você pode se tornar o Policial da Confiança. Mas a maioria de nós está a quilômetros de cruzar essa linha.

Uma cultura de suspeitas acontece automaticamente.

Uma cultura de confiança requer intencionalidade.

4. Busque diálogos diretos e honestos.

Tim Challies afirma que uma das frases mais comuns que os pastores deveriam dizer depois de ouvir uma reclamação sobre alguém é: "Você já falou com ele/ela sobre o assunto?". Talvez você se sinta importante quando alguém o vê como confidente, mas, com frequência, essa prática faz mais mal do que bem se a outra pessoa não foi confrontada primeiro.

174 O EVANGELHO ACIMA DE TUDO

Verdade e confrontação não são opostos.

Aliás, um precisa do outro para existir.

Mas a confrontação, embora necessária, precisa ser feita da forma correta, isto é, direta, humilde, com a Bíblia aberta, ouvidos atentos e coração manso. Se seguíssemos esse procedimento, a maior parte dos conflitos que assolam nossos relacionamentos interpessoais desapareceria.

5. Supere o outro ao demonstrar graça.

Provérbios 19.11 diz: "O sensato não perde a calma, mas conquista respeito ao ignorar as ofensas". Paulo disse aos romanos: "Cada um de vocês dê mais honra ao seu irmão do que a si mesmo" (Rm 12.10, VFL). Nesse caso, Paulo está incentivando uma competição saudável do evangelho. É bom, diz ele, tentar ser mais glorioso do que seus colegas na demonstração de graça.

Conforme já dissemos, existe a hora de confrontar. Mas há também o momento de fazer a princesa Elsa e *let it go*, deixar pra lá! A sabedoria sabe qual é a ocasião para cada postura.

Alguns deixam o temor das pessoas impedir a confrontação necessária. Outros permitem que a arrogância os leve a confrontar questões que deveriam ser deixadas de lado.

Não vale a pena travar todas as batalhas.

Às vezes, você ganha mais terreno ao perder. E, às vezes, perde mais terreno ao ganhar.

Um dos meus conselhos preferidos de Abraham Lincoln, conhecido por dissuadir conflitos e promover união, é o seguinte:

> Nenhum homem resolvido a dar o melhor de si consegue separar tempo para contendas pessoais. Tem menos condições ainda

A GRAÇA DO EVANGELHO **175**

de assumir as consequências, que incluem um temperamento viciado e a perda de autocontrole. Abra mão de coisas grandes sobre as quais você tem o mesmo direito do outro; e abra mão de coisas menores, ainda que claramente lhe pertençam. É melhor abrir caminho para o cão passar do que ser mordido por ele na disputa pelo direito. Nem mesmo matar o cão cura a mordida.[6]

Às vezes, é melhor perder temporariamente seu lugar na estrada do que voltar para casa com uma mordida de cachorro.

Ironicamente, por vezes a melhor forma de motivar as pessoas a ser melhores é estendendo graça a elas. A maioria das pessoas sente vontade de corresponder às expectativas altas que você tem a respeito delas. É claro que há ocasiões em que é preciso cortar laços ou abrir mão do convívio com alguém. Em outras situações, porém, a graça do evangelho é a única coisa necessária.

Pense em como Deus nos transformou: ele nos demonstrou graça. Ele nos ensinou a renunciar "o estilo de vida ímpio e os prazeres pecaminosos", fazendo a graça de Deus se revelar em nós (Tt 2.11-13).

Muitas vezes, podemos despertar bondade nas pessoas ao lhes dar a graça que não merecem mais rapidamente do que o julgamento que merecem.

Plano de ação direto da prisão de Birmingham

Quando dançamos nessa tensão divina de graça e verdade, o cristianismo se torna vivo e cheio de poder. Em sua famosa carta escrita na prisão de Birmingham, Martin Luther King Jr. observou:

176 O EVANGELHO ACIMA DE TUDO

Houve uma época em que a igreja era muito poderosa, um tempo em que os cristãos primitivos se alegravam por ser considerados dignos de sofrer por aquilo em que acreditavam. Naqueles dias, a igreja não era um mero termômetro que registrava as ideias e os princípios da opinião popular; em vez disso, era um termostato que transformava [...] a sociedade. [...] Pequenos em número, eram grandes em compromisso. Estavam inebriados demais de Deus para ser "intimidados [por números]". Por meio de seu esforço e exemplo, deram fim a males da antiguidade como o infanticídio e os confrontos de gladiadores.

As coisas são diferentes agora. [...] E se hoje a igreja não captar novamente o espírito de sacrifício da igreja primitiva, perderá sua autenticidade, abrirá mão da lealdade de milhões e será desconsiderada como um clube social irrelevante, sem significado algum para o século 20. Todos os dias encontro jovens cuja desilusão com a igreja se transformou em aversão aberta.[7]

Que irônico.

Nós achávamos que, quanto mais nos tornássemos como o mundo, mais o mundo nos aceitaria. Contudo, quanto mais nos tornamos como o mundo, mais nos tornamos irrelevantes para o mundo e nauseantes para Jesus.

Que trágico se a igreja hoje abandonar o método do evangelho para favorecer o tribalismo e os jogos de poder.

Lembre-se: a verdade sem graça não passa de juízo fundamentalista; a graça sem verdade é sentimentalismo. Alie ambos e você será como Jesus, atraindo pessoas como ele fazia.

Pessoas como Rosaria Butterfield.

Uma última história, porque essa é pessoal.

Recentemente, um casal de lésbicas começou a frequentar nossa igreja. "Caroline", convidada por uma amiga, foi sozinha por algumas semanas. Deus realmente começou a trabalhar na vida dela, e então ela convenceu a esposa "Jeannie" a ir também.

Jeannie pesquisou um pouco a nosso respeito.

Descobriu quais são nossas convicções sobre a homossexualidade e disse a Caroline: "Se você realmente quer voltar para a igreja, tudo bem. Eu até vou com você. Só que não *naquela* igreja".

Pesquisaram um pouco mais e encontraram uma igreja mais "afirmativa" em nossa região, teologicamente liberal em vários pontos. Frequentaram por três semanas, quando Caroline olhou para Jeannie e disse: "Jeannie, veja bem, Deus não está nesta igreja. E ele estava lá na Summit. Temos uma escolha a fazer. Podemos vir aqui, onde nos aceitam mas Deus não está presente, ou ir à Summit, onde Deus está presente mas eles não aceitam nosso estilo de vida. Você pode fazer o que quiser, mas eu opto por Deus".

Algumas semanas depois, Caroline entregou a vida a Cristo.

Jeannie resistiu por meses à decisão de Caroline, mas começou a escutar os sermões via *podcast*. Meses depois, ela finalmente criou coragem para ir à igreja. Caroline havia viajado, então Jeannie foi sozinha e sentou na segunda fileira.

Eu não teria escolhido aquela para ser a primeira semana para ir à igreja.

Imagino que nem ela.

Eu estava bem no meio de uma série de sermões sobre relacionamentos, e o tema daquela semana era como Deus se sente em relação à homossexualidade e à comunidade LGBT. Você sabe quantos sermões eu preguei apenas sobre a homossexualidade na Summit ao longo dos últimos dois anos?

Um.

Na providência de Deus, porém, aquele foi o primeiro sermão que ela ouviu em sua "apresentação à Summit Church".

Tempos depois, ela me contou: "Eu me sentei naquele banco mais irritada do que nunca em minha vida. Decidi fazer algumas anotações para poder jogar algumas de suas frases na cara de Caroline e comentar sobre o quanto este lugar era horrível.

"Mas dez minutos se passaram e eu não havia escrito nada.

"Disse: '____-se!'. É o sermão *antigay* mais amável que já ouvi na vida!'".

Algumas semanas mais tarde, Jeannie se sentou em lágrimas em meu escritório. E disse: "Sei que é verdade. Sei que o que a Bíblia diz está certo e que eu estou errada. Mas não sei o que fazer. Quero seguir Jesus, assim como Caroline, e estou pronta para ir aonde quer que isso me leve".

Caroline e Jeannie continuam a ser uma obra inacabada, mas a experiência delas é uma das manifestações mais poderosas da graça que já vi em duas décadas de ministério.

É o poder do evangelho e nada mais.

É por isso que o evangelho precisa ser o centro, o foco e a totalidade de nosso ministério. Para que mais Carolines e Jeannies aceitem a fé em nossas igrejas, o evangelho precisa estar acima de tudo.

Mas acima do *que*, exatamente?

Ah, que bom que você perguntou!

Aperte os cintos, os próximos capítulos podem ser meio acidentados. Como meu antigo pastor costumava dizer: "Estou prestes a parar de pregar e começar a me intrometer".

7

O evangelho acima da minha cultura

....

*Uma compreensão superficial das pessoas de bem é mais
frustrante do que a total incompreensão por parte de
indivíduos mal-intencionados. A aceitação morna é mais
alarmante que a rejeição aberta. [...] No fim, nós nos
lembraremos não das palavras de nossos inimigos,
mas, sim, do silêncio de nossos amigos.*

MARTIN LUTHER KING JR.,
The American Civil Rights Movement 1865–1950

Eu jamais imaginei que "supremacia branca" seria um tema de
destaque nos noticiários em pleno século 21. Talvez isso mostre o quanto sou ingênuo. Mas eu legitimamente não achava
que precisaria criar meus filhos em um país que ainda batalha
contra o racismo aberto e religioso.

Ainda assim, em uma época tão recente quanto agosto de
2017,[1] temos visto a supremacia branca erguer sua cabeça —
de maneira pública, vocal e violenta.

Os nacionalistas brancos organizaram uma marcha na Universidade de Virgínia, uma marcha que levou à morte de três
pessoas e multiplicou um espírito de temor em todo o país. Joe
Heim relatou para o *Washington Post*:

> Por volta das 20h45, sexta-feira, um agrupamento de cerca de
> 250 pessoas, majoritariamente homens brancos jovens, muitos de
> calça cáqui e camiseta polo branca, começou a se espalhar pelo
> Nameless Field, um grande gramado que fica atrás do Ginásio

Memorial, na Universidade de Virgínia. Suas tochas, embebidas de querosene por voluntários em uma mesa próxima, ainda estavam apagadas.

"Em formação!", ordenou um dos organizadores, que carregava um alto-falante. "De dois em dois! Dois em dois!"

Em minutos, os participantes acenderam as tochas. Outros organizadores, com escutas no ouvido e rádios, corriam pelas fileiras dando as instruções.

"Agora! Agora! Vão!"[2]

Minha esposa estudou nessa universidade, e eu já estive no *campus* dezenas de vezes.

Enquanto assistia às notícias, eu reconhecia as ruas de Charlottesville. Lembrava-me de momentos específicos que minha esposa e eu vivemos ali. Tomando café. Jantando. Caminhando pelo *campus* e centro da cidade. Bons tempos.

Mas o que vi no jornal não despertava em mim as mesmas emoções.

Fiquei estupefato, tentando imaginar o lugar daquelas lembranças de tranquilidade ser invadido por uma turba racista irada. Não fazia o menor sentido.

Nem deveria fazer.

Quando ouvimos sobre tragédias como a de Charlottesville, é bom e correto responder com clareza inabalável:

O espírito da supremacia branca é completamente antagônico ao evangelho.

Fico chocado por ser necessário dizer isso, mas, da maneira que o mundo anda, precisamos responder. Nós que cremos no evangelho sempre nos oporemos a ideias que relegam os outros a qualquer tipo de classe subumana. Só existe uma raça de pessoas: a raça humana. Só há um exemplar de ser humano: a imagem de Deus. Se cremos no evangelho, sempre resistiremos a todas as formas de racismo, porque a falha em fazê-lo é um ataque ao Deus por trás de nosso evangelho.

Contudo, eu me preocupo de haver um perigo mais sutil para muitos de nós. Depois de repudiarmos os princípios do racismo, achamos que estamos liberados. *Eu já marchei à noite com uma tocha em mãos em defesa da supremacia branca? Claro que não! Eu faço calúnias raciais? Nunca! Então não sou o problema.*

Mas e se o problema for maior que as imagens que vemos no jornal?

Talvez nosso problema seja maior que o racismo aberto. Talvez nosso problema seja a falta de empatia que cauteriza nosso coração no que se refere aos fardos que outros cristãos carregam, uma falta de caridade que nos leva a questionar os motivos deles, uma descrença que diminui suas emoções, e um egoísmo que nos torna indispostos a abrir mão de privilégios e preferências para fazer os "de fora" se sentirem acolhidos.

> Nós que cremos no evangelho sempre nos oporemos a ideias que relegam os outros a qualquer tipo de classe subumana.

O pregador escocês Robert Murray McCheyne escreveu certa vez: "A semente de todo pecado se encontra no coração humano". Comecei minha reflexão sobre esse assunto com o pressuposto de que o orgulho que leva ao racismo, a suspeita que leva à hostilidade e o egoísmo que se recusa a compartilhar privilégios são endêmicos em meu coração.

Gostaria de sugerir que, em nossos tempos, uma das manifestações mais relevantes e contraculturais do poder do evangelho será a unidade multicultural em nossas igrejas. Nossa nação necessita desesperadamente de unidade racial. Mas somente o evangelho tem poder para alcançá-la.

> *(Observação: Ao passo que a busca de diversidade cultural envolve muito mais do que pessoas brancas e negras, dou ênfase especial a essa dinâmica aqui. Muito já foi escrito com qualidade sobre a diversidade étnica em meio aos povos originários, latinos, povos do leste da Ásia, árabes, etc. Em nossa nação, porém, e em minha comunidade, as tensões étnicas se fazem sentir de maneira mais concreta nas interações entre brancos e negros. Essa é a luta mais tangível de nossa igreja. Assim, esse será o contexto para boa parte daquilo que escreverei.)*

Nossa nação necessita desesperadamente de unidade racial. Mas somente o evangelho tem poder para alcançá-la.

O que as eleições de 2016 revelaram

Em teoria, poucas pessoas na igreja americana se opõem a ideias de reconciliação racial ou de diversidade cultural. Mas a experiência sugere que, nesse quesito, boas intenções não equivalem a progresso e avanços.

Aliás, uma série de artigos recentes prevê dias ainda mais difíceis à frente.

Um artigo de 2018 do *New York Times*, por exemplo, descreveu: esperançosos no passado com a perspectiva de reconciliação racial, muitos fiéis negros — aqueles ousados o bastante para adentrar contextos de "igrejas brancas" como pioneiros — estão cada vez mais desanimados e cansados por causa da falta de progresso, silenciosamente voltando a frequentar congregações onde se sentem mais confortáveis.[3]

Outros não voltaram para igreja nenhuma.

Muitas dessas pessoas — e o autor do artigo também — apontam para a eleição presidencial de 2016 como um marco.

De modo geral, os cristãos afro-americanos ficaram perplexos diante do aparente apoio que os evangélicos deram ao sr. Trump, apesar de suas falhas morais persistentes e de seus comentários perturbadores sobre questões raciais (entre outros assuntos). A verdade é que, como tem acontecido em muitas das eleições recentes, cristãos brancos e negros votam em candidatos diferentes. Uma estatística citada com frequência revela que 81% dos evangélicos brancos votaram em Donald Trump, ao passo que 88% dos afro-americanos cristãos votaram em Hillary Clinton.

Nos diálogos que vi ao longo de 2016, ficou claro que nenhum dos lados conseguia entender o outro. O sentimento esmagador, de ambas as partes, muitas vezes se resumia a: "Como você pode se denominar cristão e votar em alguém que...?".

O propósito deste capítulo não é analisar qual lado tinha o melhor argumento. Conforme já observei, as escolhas políticas de 2016 eram peculiarmente problemáticas. Muitos lamentavam as falhas morais de Donald Trump, mas sentiam que a alternativa era pior. Outros, em contrapartida, achavam que votar em Trump, mesmo que relutantes, era equivalente a negociar com um demônio, trocando moralidade por poder.

É uma discussão importante, mas meu objetivo neste capítulo não é fazer uma declaração sobre quem está certo ou errado.

Em vez disso, quero destacar que as eleições de 2016 revelaram algo.

Revelaram uma divisão que existe há gerações.

184 O EVANGELHO ACIMA DE TUDO

A divisão não foi criada pelas eleições, apenas ganhou visibilidade.

Os evangélicos brancos deveriam ter sido os primeiros a ouvir os temores e as frustrações de seus irmãos e irmãs afro-americanos. Por que não fizemos isso? E os evangélicos negros deveriam assumir a liderança em estender a seus irmãos e irmãs brancos o benefício da dúvida sempre que possível.

Mas, em vez de mostrar ao mundo um "caminho mais excelente", a igreja aceitou o confronto racial e político que a sociedade nos entregou.

No livro revelador *Divided by Faith* [Divididos pela fé], os autores Christian Smith e Michael Emerson realizaram uma pesquisa com participantes negros e brancos para ver o que cada grupo pensava em relação à culpa pelas disparidades em realizações pessoais de nossa sociedade. Em outras palavras, se alguém *não* alcança o sucesso em nossa sociedade, de quem ou do que é a culpa?

As respostas possíveis variam em um amplo espectro que vai desde a responsabilidade individual até o preconceito estrutural. Estou fazendo uma simplificação, mas que me ajudou a conceituar a questão dentro de um espectro, da seguinte maneira:

Responsabilidade individual ----- x -------------------------
---- y ---------- z ----- **Tendências sistêmicas**

A pessoa "x" tem mais chance de dizer que as questões que levam à pobreza são ocasionadas por escolhas feitas pelo indivíduo. *Não estudar direito. Faltar no trabalho. Não administrar o dinheiro com sabedoria.* Esse indivíduo acredita que racismo estrutural não é um fator preponderante. A solução está nas mãos das pessoas em situação de pobreza, que devem encontrar uma maneira de sair dessa condição.

A pessoa "z" pensa diferente. Ela enxerga forças sistêmicas incisivas em ação. *O esforço e a persistência do indivíduo têm menos impacto sobre o progresso do que tendências sistêmicas que o favorecem ou atrapalham.* Como o dinheiro é passado de uma geração para outra e partilhado entre pessoas de raça e experiência de vida semelhante, ele tende a permanecer na mão dos ricos e fora do alcance dos pobres, a despeito de sua ética de trabalho. As linhas de crédito são concedidas mais rapidamente para pessoas de mesma origem étnica.

A pessoa "y" representa uma posição mediana, que leva em conta medidas iguais de fatores individuais e estruturais.

Os resultados da pesquisa são reveladores: os americanos brancos tendem a explicar que a causa da pobreza persistente reside em fatores de responsabilidade individual, ao passo que os negros creem que a culpa é dos problemas estruturais. A divergência foi marcante, mas não tão extrema quanto seria de se esperar. No diagrama abaixo, B significa "americano branco" e N representa "americano negro".

Individual ----------------------------- **B** ------------------------
------------ **N** -------------------------------------- **Estrutural**

Dentro da igreja, porém, a diferença de opinião era ainda mais pronunciada. Você pode visualizar da seguinte maneira, com CB representando "cristão branco" e CN representando "cristão negro".

Individual ---------------- **CB** --------------- **B** ------------------
------------ **N** --------------- **CN** ----------------- **Estrutural**

O objetivo de tudo isso não é dizer qual ponto do espectro está correto. É claro que essa é uma conversa importante, mas não a teremos aqui. A questão é abrir os olhos para a distância que existe entre muitos cristãos negros e brancos hoje. A percepção de onde estamos, como chegamos aqui e por que permanecemos é diferente entre cristãos negros e brancos. Quando as percepções se distanciam tanto, só temos uma opção se nos importamos em construir uma ponte sobre o abismo:

Ouvir.

Por exemplo, se você é branco, não quer saber *por que* seus irmãos e irmãs negros respondem majoritariamente à pergunta da maneira que o fazem?

Não estou dizendo que você irá concordar automaticamente com tudo que lhe disserem, assim como não espero que eles concordem com tudo que você disser.

Mas o apóstolo Paulo escreveu: "Ajudem a levar os fardos uns dos outros e obedeçam, desse modo, à lei de Cristo" (Gl 6.2). Parte de ser um corpo em Cristo é nos comprometer com sentir — e buscar entender — a dor pela qual os outros passam.

Tudo começa com ouvir.

O famoso psicólogo M. Scott Peck disse: "Ouvir é amar".[4]

Conhecer alguém profundamente precisa incluir saber o que o fere profundamente. Carregar os fardos uns dos outros começa por ouvir e termina combatendo as injustiças que nossos irmãos e irmãs em Cristo vivenciam com tanto fervor quanto se estivesse acontecendo conosco ou com nossos filhos.

Por onde passamos? A injustiça racial no passado dos Estados Unidos

Sempre me senti atraído pelo ideal americano.

Os Estados Unidos foram fundados não com base na identidade étnica, mas, sim, no credo. Aliás, o credo sobre o qual a nação foi edificada é de igualdade para todos. De muitas maneiras, as oportunidades e liberdades presentes no país não têm precedentes.

Infelizmente, muitos em nosso país não têm acesso a tais oportunidades e liberdades.

Tudo revela que a "igualdade para todos" significa coisas diferentes para pessoas diferentes. Os pais fundadores escreveram sobre a igualdade de todos os homens. Mas esses mesmos indivíduos não viam problema algum em ter *outros seres humanos* como propriedades.

Conforme destacou diversas vezes Martin Luther King Jr., a história de nosso país revela que falhamos em viver de acordo com o credo de nossos fundadores. E isso trouxe consigo consequências devastadoras. Aqui estão apenas alguns exemplos:

- **Escravidão.** Historicamente falando, não estamos tão distantes da realidade terrível de seres humanos serem considerados propriedade legal — e subumana. A escravidão fez parte do *status quo* nos Estados Unidos de 1619 a 1865 — assustadores 246 anos!
- **O compromisso dos três quintos**, que usou escravos negros para poder político (sem dar a *eles* nenhum poder político).
- **Arrendamento de terra**, prática posterior à Guerra Civil que manteve agricultores negros irremediavelmente endividados aos ricos proprietários de terra brancos.
- **Leis de segregação racial**, que relegaram os afro-americanos a escolas, restaurantes e meios de transporte de qualidade inferior.
- **Linchamento**, a prática de matar cidadãos negros, que levou à morte de milhares e aterrorizou toda a

188 O EVANGELHO ACIMA DE TUDO

comunidade negra — muitas vezes com a aprovação de policiais e políticos locais.

- **A negação sistemática de serviços e infraestrutura** a bairros com alta concentração de negros, os quais eram sistematicamente desvalorizados e transformados em guetos urbanos.
- **Programas de controle de natalidade** fundado com base na crença de que as populações minoritárias — chamadas de "ervas-daninhas humanas" — deveriam ser controladas por meio da promoção focada de abortos.

A compreensão da injustiça racial no passado de nossa nação é uma das maneiras centrais de ouvir a voz de nossos irmãos e irmãs que pertencem a minorias. Conforme escreveu certa vez William Faulkner: "O passado nunca está morto. Nem mesmo é passado".

O trauma do passado de ontem está presente nas tensões de hoje.

O papel da igreja no passado dos Estados Unidos

Ao narrar a história, já observei que a igreja costuma ser retratada como "mocinha" ou "bandida". Alguns querem absolver a igreja de já ter cometido qualquer erro, ao passo que outros parecem resolvidos a condenar a fé a cada esquina.

A realidade está em algum ponto no meio do caminho.

É verdade que a doutrina cristã e pregadores cristãos fundamentados na Bíblia estiveram por trás tanto da abolição quanto dos movimentos de direitos civis. Mas devemos reconhecer que, de modo geral, muitos de nossos antepassados permaneceram assentados em seu lugar de privilégio, cegos à injustiça. Muitos outros chegaram a lutar ativamente contra esses movimentos.

A cegueira ao mal leva à cumplicidade. Por isso, se queremos superar os pecados que assolaram nosso passado e moldam nosso presente, precisamos encará-los nos olhos.

A história de injustiça no passado da nação é especialmente relevante para nós, batistas do sul. A Convenção Batista do Sul foi fundada em 1845, quando os batistas americanos se dividiram em dois grupos: os que estavam dispostos a nomear proprietários de escravos como missionários (no sul) e os que não concordaram em fazer isso (no norte). Sem conseguir chegar a um consenso, os batistas do sul e do norte se separaram em dois grupos totalmente distintos.

É um pouco simplista demais dizer que os batistas do sul foram formados para defender a escravidão, mas ninguém nega que a escravidão foi o tema que dividiu nossa denominação. O mais trágico é que muitos dos primeiros líderes chegaram a tentar construir argumentos bíblicos em defesa da escravidão e da segregação no sul dos Estados Unidos. Conforme explica Al Mohler, presidente do Seminário Teológico Batista do Sul:

> Não podemos contar a história da Convenção Batista do Sul sem começar com a escravidão. De fato, a Convenção foi fundada por homens que não só possuíam escravos como também acreditavam na ideologia da superioridade racial, e que revestiram tal ideologia de argumentos teológicos escandalosos.[5]

Hoje, graças a Deus, a Convenção Batista do Sul deixou claro por meio de uma série de declarações formais (que remontam ao começo do século 20) que nos opomos categoricamente à escravidão e a todas as formas de discriminação

190 O EVANGELHO ACIMA DE TUDO

e racismo. Mais recentemente, a denominação emitiu um pedido formal de desculpas por sua cumplicidade com a escravidão e segregação (1995). Tais declarações são um passo inicial importante, pois estamos certos de nos envergonhar do quanto elas demoraram para ser expressas. Por causa da demora de nossa igreja em reconhecer os problemas do passado, vários americanos negros ainda sentem desconforto diante da Convenção Batista do Sul.

Eles têm direito de se sentir assim.

Precisamos entender também que a história racial difícil dos batistas do sul não é uma mera questão de origem. Ao longo do século 20, a igreja teve uma relação complicada com o movimento de direitos civis. Sim, muitas das vozes dentro do movimento de direitos civis eram cristãs. E muitas das resoluções da Convenção Batista do Sul na década de 1960 advogavam o fim da injustiça racial. Mas o apoio das congregações locais muitas vezes era fraco.

Em certos casos, até hostil.

Com muita frequência, cristãos conservadores brancos — sobretudo no sul do país — falharam em se posicionar. Alguns líderes, como W. A. Criswell, uma espécie de padrinho da Convenção Batista do Sul, foram abertamente contrários à decisão judicial que deu fim à segregação racial nas escolas públicas dos Estados Unidos, em 1956, no caso de Linda Brown (decisão que ele posteriormente recordou como um dos piores erros de sua vida). A maioria de nossos pais da fé eram mais desligados, escondendo-se por trás de frases do tipo: "Não vamos entrar em questões políticas" ou "Vamos nos focar apenas no evangelho". Fossem defensores do movimento de direitos civis ou não, permaneciam majoritariamente passivos.

Começo a reconhecer cada vez mais o quanto essa passividade foi dolorosa para nossos irmãos e irmãs negros. Edmund Burke disse certa vez que a única coisa necessária para o mal triunfar é que as pessoas do bem não façam nada. Em grande medida, foi isso que aconteceu entre os cristãos conservadores brancos de cinquenta anos atrás.

O dr. King lamentou a situação nas seguintes palavras em sua notória carta escrita na prisão de Birminghan:

Devo confessar que, ao longo dos últimos anos, tenho ficado gravemente decepcionado com os brancos moderados (com isso, refiro-me aos brancos que decidem não se engajar). Quase cheguei à lamentável conclusão de que a grande pedra de tropeço do negro em sua marcha rumo à liberdade não é [...] o membro da Ku Klux Klan, mas, sim, o branco moderado, mais dedicado à "ordem" do que à justiça; que prefere uma paz negativa, que é a ausência de tensão, a uma paz positiva, que é a presença de justiça; que diz constantemente: "Concordo com o objetivo que você busca, mas não posso estar de acordo com seus métodos de ação direta"; que acredita paternalistamente poder definir a linha do tempo da liberdade de outro ser humano; que vive de acordo com um conceito mítico de tempo e aconselha o negro o tempo inteiro a esperar um "momento mais conveniente".[6]

Uma compreensão superficial por parte das pessoas de bem é mais frustrante que a incompreensão total de pessoas mal-intencionadas. Uma aceitação desengajada causa mais perplexidade que a rejeição direta.

Conforme disse o pastor Charlie Dates em 2018, na MLK50 Conference, um congresso intitulado "Reflexões sobre o evangélico do alto do monte" em homenagem aos cinquenta anos do emblemático discurso de Martin Luther King Jr. em

Washington, os cristãos negros queriam que seus irmãos e irmãs brancos denunciassem a injustiça a seu redor. Queriam se unir na repreensão a uma cultura desviada.

Em vez disso, precisavam combater o silêncio e a acomodação cultural.

As palavras do pastor Charlie me recordaram a frase assombrosa do dr. King: "No fim, nós nos lembraremos não das palavras de nossos inimigos, mas do silêncio de nossos amigos".

Nenhum de nós estava vivo quando a Convenção Batista do Sul se dividiu e se tornou uma denominação própria em 1845. E poucos de nós éramos adultos nas décadas de 1950 e 1960, quando os membros da denominação permaneceram, em grande parte, estranhamente silenciosos em relação à injustiça racial.

Não podemos nos arrepender por eles.

Mas podemos repudiar seu silêncio.

Podemos lamentar a dor que essas memórias causam.

Podemos nos comprometer a não repetir seus erros.

Podemos perguntar a nossos irmãos e irmãs negros o que podemos fazer para ajudar a retificar nossa situação diante deles.

E, para aqueles que continuam a fazer parte da Convenção Batista do Sul, precisamos fazer tudo que estiver ao nosso alcance para acabar com cada traço de desigualdade criado pelos pecados do passado.

O papel da igreja em uma sociedade "racializada"

Muita gente ouve falar sobre as injustiças raciais no passado de nossa nação e responde da seguinte maneira: "Foi realmente

O EVANGELHO ACIMA DA MINHA CULTURA **193**

terrível! Graças a Deus tudo isso ficou no passado. Mas ficar relembrando não ajuda nada. É hora de seguir em frente".

Bem, por um lado, é fácil para nós que integramos a maioria cultural dizer isso. Tais pecados não afetaram nossos antepassados como os de nossos irmãos e irmãs negros. Além disso, a longa sombra de racismo na história impacta o presente da nação de maneiras profundas, que costumam afetar negativamente as comunidades negras muito mais que os grupos majoritários. O fantasma do racismo não é exorcizado com tanta facilidade. Às vezes, suas consequências são diretas e, em outros casos, indiretas. Nosso presente continua a reverberar as ações e ideias do passado.

> Uma aceitação desengajada causa mais perplexidade que a rejeição direta.

Uma das expressões que achei mais útil ao pensar em questões raciais *hoje* veio do sociólogo cristão afro-americano George Yancey, professor da Universidade do Norte do Texas. Ele diz que, a despeito de todo o progresso nas questões raciais, vivemos em uma sociedade "racializada". Com isso, quer dizer que a raça continua a exercer forte influência em muitos aspectos de nossa vida.

Como prova disso, o dr. Yancey destaca os bairros. Alguns bairros nos Estados Unidos apresentam mais diversidade que outros. Mas ainda é incrivelmente comum ter bairros negros, bairros latinos e outros bolsões de nossas comunidades nos quais um grupo étnico predomina. Podemos dar de ombros, mas não se esqueça de que nem todo indicador social funciona dessa maneira. Não existe bairro de pessoas altas, bairro de magros ou bairro de inteligentes. Essas distinções demográficas não são tão cruciais para nossa sociedade quanto as étnicas.

E os setores residenciais de nossas cidades mostram isso.

194 O EVANGELHO ACIMA DE TUDO

Mas o evangelho não deve estar acima de tudo?

Se é verdade que nossa sociedade ainda é fortemente influenciada pela raça (ou seja, "ainda é racializada"), então não deveria nos surpreender o reconhecimento de que o racismo ainda existe.

Eu sei que, quando chegamos a esse ponto da discussão, muitos começam a lançar objeções. Destacam que nossas leis são muito diferentes do que há um século ou mesmo uma geração.

O racismo não foi completamente erradicado, mas o problema foi resolvido *em sua maior parte*, certo? Afinal, o estigma social contra o racismo é intenso. Dá para imaginar um rótulo pior do que ser chamado de "racista"? Então, sem dúvida, o trabalho contra o racismo está praticamente terminado. É hora de seguir em frente e parar de reabrir feridas antigas.

É então que nosso entendimento da história pode ajudar.

Quando vemos os traços amplos do racismo em nosso passado, não podemos deixar de enxergar o quanto o racismo impactou profundamente realidades sociais como famílias, governos e escolas. As realidades sociais demoram para mudar, e embora seja bom ter leis, elas não conseguem superar de imediato gerações de práticas injustas.

Vemos essa realidade aflorar quando ouvimos notícias de um policial branco que atira em um negro e o mata.

De um lado, temos os negros, agudamente cientes da injustiça racial de nossa história. Por isso, eles reconhecem o padrão e presumem a injustiça no caso *específico*. *Um* incidente traz à lembrança não só o longo período de linchamentos públicos e outros episódios de violência racial, mas também suas experiências pessoais de ser julgados em razão de sua raça.

É um ponto de vista válido.

Em contrapartida, deparamos com comentaristas brancos que costumam responder aconselhando paciência. As realidades históricas podem criar um padrão perturbador, mas seria injusto presumir a culpa de qualquer indivíduo — branco ou negro — sem permitir que nosso sistema judiciário primeiro investigue os fatos. Presumir a inocência até que a culpa seja provada é uma verdade preciosa e fundamental em nosso entendimento de justiça.

Perguntei ao dr. Yancey sobre essas situações.

— O que fazer em um momento como esse? Parece que nos pedem que escolhamos entre duas respostas que trazem pressupostos fortes (e aparentemente contrários). Como falar de uma forma que comunique simpatia sem subverter o sistema de justiça? Não quero cometer uma injustiça (privar o policial do direito de ter a inocência presumida e dos processos judiciais adequados) a fim de retificar outra.

Ele respondeu:

— Você sempre pode, e deve, expressar simpatia imediata pelas vítimas. Afinal, é uma tragédia quando *qualquer pessoa* é baleada e morta. Mas você pode ir além e lamentar o fato de que *ainda* vivemos em uma sociedade racializada, cujo passado torna questões como essas ainda mais pertinentes. Deveria ser impensável que a etnia seja uma influência nos disparos de armas por policiais. Infelizmente não é. E *isso* é uma tragédia.[7]

O dr. Yancey está certo.

Deus me livre disso, mas se meu filho branco fosse baleado pela polícia, eu jamais me perguntaria se sua morte estava relacionada à cor de sua pele.

Meus amigos negros deveriam ter o mesmo privilégio.

196 O EVANGELHO ACIMA DE TUDO

Passou da hora de pararmos de pensar nisso como uma questão conservadora ou progressista.

O divisor de águas em relação a esse tema não está entre conservadores e progressistas, mas, sim, entre os que se importam com o problema e os que não ligam.

Se o evangelho estiver acima de tudo, desejaremos uma igreja que reflita a diversidade de nossas comunidades e proclame a diversidade do reino. Se o evangelho estiver acima de tudo para nós, nos importaremos com esse debate.

Para onde vamos? Declarando a diversidade do reino

Como o evangelho nos ajuda a avançar diante de tudo isso?

Acredito firmemente que os melhores recursos para buscar reconciliação e diversidade se encontram nas profundezas do evangelho. É exatamente nelas que precisamos cavar fundo nos recursos do evangelho.

> A diversidade étnica não é, em primeira instância, um *objetivo* digno a ser alcançado, mas, sim, uma *realidade* que Deus declarou sobre nós em Cristo.

Deus declarou que a diversidade é sua intenção para a igreja e nos concedeu seu Espírito com a promessa de que fará isso acontecer (Ef 3.1-13; 4.4-5). Essa é uma promessa à qual nos apegar mesmo enquanto nossa sociedade se ira em confusão.

A diversidade étnica não é, em primeira instância, um *objetivo* digno a ser alcançado, mas, sim, uma *realidade* que Deus declarou sobre nós em Cristo.

A harmonia multicultural foi um dos traços distintivos da proclamação do evangelho no mundo antigo. O poder unificador do evangelho não se dissipou.

Na Summit, muitos de nossos esforços são guiados pelo

lema "A igreja deve refletir a diversidade de sua comunidade e declarar a diversidade do reino". A união de raças e etnias é um dos marcos do evangelho, um sinal ao mundo de que o evangelho tem poder de verdade (Ef 2). Nossas congregações devem evidenciar uma união que vai além do compartilhamento de uma mesma herança étnica, cultural ou sociopolítica.

O evangelho é para o judeu.

O evangelho é para o grego.

O evangelho é para a cultura majoritária.

O evangelho é para as culturas minoritárias.

O evangelho aponta para a unidade divina porque todos temos o mesmo problema.

Todos somos pecadores.

E, nesse ponto, Paulo conta aos romanos que Cristo se deu pelos que estavam afastados de Deus. Todos somos pecadores, mas, em Cristo, todos somos igualmente salvos.

A unidade no evangelho é um sinal — uma prévia — do reino vindouro, no qual *cada* tribo, povo, língua e nação se reunirá em volta do trono de Cristo em todas as suas resplendentes distinções culturais (Ap 5).

Sem Cristo, ninguém é justo — não há nem um sequer.

Não é a cor de sua pele que o recebe na família de Deus, mas a cor do madeiro manchado de sangue no Calvário.

Jesus veio inaugurar uma nova linhagem de parentes, uma família absolutamente nova, conectada por sua morte em sacrifício e sua ressurreição que restaura a vida.

É você. Sou eu. É a igreja dele.

Por meio do sacrifício em nosso lugar para alcançar nossa adoção, Jesus alterou eternamente o DNA de todos os filhos de

Deus. Jesus nos une de maneira familiar de um modo que jamais conseguiríamos realizar sozinhos.

Nossa nova família não diz respeito à linhagem sanguínea de nossos antepassados.

Diz respeito à linhagem que começou na cruz.

Esse é o sangue que flui por meio da família de Deus.

Esse é o elo da igreja.

Mas nossa jornada rumo a esse objetivo não tem sido fácil. A verdadeira diversidade nunca é. Aprendemos que diversidade não é um "projeto" de nicho para poucos; em vez disso, é parte essencial do discipulado e responsabilidade de cada seguidor de Jesus.

Para nós que pertencemos à cultura majoritária, esse processo precisa começar com uma postura de ouvir, não de falar. A definição de ponto cego é, afinal, uma fraqueza que *não sabíamos que tínhamos*.

Não conseguimos enxergá-la.

Historicamente, os pontos cegos mais insidiosos resultam de posições de privilégio e poder. Não é uma coisa de "branco", mas uma coisa de "gente". Se levamos a sério a descoberta desses pontos cegos, precisamos nos comprometer a ter conversas desconfortáveis, nas quais buscamos mais *compreender* do que *ser compreendidos*.

Não só acharemos desconfortável a experiência de ouvir, como também descobriremos que algumas das mudanças necessárias para refletir a diversidade do corpo de Cristo serão desconfortáveis também. Se quisermos que a igreja seja um movimento branco e homogêneo, então não teremos problemas com a hegemonia cultural. Mas se desejarmos alcançar a diversidade das comunidades existentes no país, precisaremos nos preparar para presenciar a mudança de nossas estruturas culturais e de liderança.

Nada disso subentende a necessidade de mudança de nossas doutrinas ou de qualquer compromisso fundamental. Por que isso seria preciso?

Pelo contrário, nós nos aprofundaremos ainda mais nelas.

Isso quer dizer que o compromisso com a diversidade precisa ir além das meras palavras.

Devemos refletir se o evangelho verdadeiramente está criando raízes em nossas igrejas.

Precisamos estar dispostos a avançar em meio ao desconforto que a diversidade traz. Devemos estar dispostos a colocar nossas preferências em segundo plano diante daquelas necessárias para alcançar quem não é como nós.

Meu amigo Vance Pitman é um exemplo disso em sua igreja localizada em Las Vegas. Ele conta:

> Você sabe que faz parte de um movimento multicultural por se sentir desconfortável às vezes. Se você sempre se sente confortável em sua igreja, provavelmente ela não é multicultural, mas apenas multicolorida — um grupo (majoritariamente) de brancos do sul dos Estados Unidos com a expectativa de que as pessoas de origens diferentes reflitam a cultura branca e sulista. A maioria dos batistas do sul quer fazer parte de uma denominação multicolorida, mas não deseja, de fato, uma igreja multicultural.[8]

Nossos irmãos e irmãs negros têm, por anos, sofrido o desconforto das divergências culturais. Chegou a hora de nós, que integramos a cultura majoritária, nos unirmos a eles nesse esforço.

Na Summit, incentivamos nossos membros o tempo inteiro a se acostumarem a sentir desconforto. Deus, em sua graça, tem nos dado progresso real nessa área. Quase 20% das pessoas que frequentam nossa igreja não são brancas (em comparação com menos de 5% há menos de uma década). Pelo menos um terço de nossos pastores universitários e líderes de louvor não são brancos. Veja bem, nossa igreja ainda tem um longo caminho a percorrer. Mas nós somos a prova de que é possível fazer um movimento rumo à diversidade em uma igreja dominada pela cultura majoritária. E embora os detalhes variem de acordo com a composição demográfica da região em que você vive, as mudanças positivas são possíveis em sua igreja também.

Pela graça de Deus, sei que nossas igrejas podem avançar na diversidade e reconciliação.

O que estamos vendo acontecer na Summit me prova que isso é possível.

E sei que Deus Pai o quer.

Porque o Filho de Deus prometeu.

Logo, o Espírito de Deus cumprirá.

Como chegar lá? Alvo: uma verdadeira comunidade do evangelho

Uma das maiores lições que aprendemos ao longo dos últimos anos é que a consciência da racialização da sociedade, embora absolutamente vital, não é suficiente para transformar a diversidade em realidade. A fim de ilustrar isso, um de nossos pastores negros, Chris Green, resumiu o processo de diversidade racial dentro de uma igreja por meio do seguinte espectro:

Ignorância → Conscientização → Intencionalidade
→ Comunidade do evangelho

A maioria de nós cresceu em comunidades nas quais as pessoas ao redor eram parecidas conosco e pensavam de maneira semelhante. Não somos voluntariamente maldosos, nem nada do tipo, só não sabemos muito sobre pessoas com histórias de vida ou experiências diferentes das nossas. Temos a tendência de preencher as lacunas com pressupostos e estereótipos. E presumimos que todos vivenciam a sociedade como nós.

O reconhecimento de que nem todos vivenciam a sociedade como nós nos leva ao passo seguinte do espectro — a consCientização.

Isso costuma acontecer por meio de um relacionamento, embora também possa ocorrer ao assistir a algo no jornal ou ter alguma experiência pessoal que nos force a desafiar nossos estereótipos ou pontos de vista anteriores. Eu vivi no sudeste da Ásia por alguns anos e aprendi como é ser visto com base em estereótipos injustos, moti-

> O caminho da consCientização para a comunidade do evangelho precisa passar pela *intencionalidade*.

vados pelo medo. Posteriormente, quando comecei a me aproximar de nossos irmãos e irmãs negros, reconheci que muitos deles haviam passado por situações em minha cidade natal sobre as quais eu jamais havia pensado. A consCientização inquieta. Desafia muito do que presumimos ser simplesmente "normal".

É assim que declaramos sucesso rápido demais.

A maioria de nós presume que o processo funciona como o jogo Sobe e Desce, da seguinte forma: assim que você aterrissa na consCientização, escorrega automaticamente para a comunidade do evangelho.

Reconhecer sua conscientização recém-descoberta e então retuitar alguns artigos sobre o assunto para sinalizar que você está do "lado do bem" não basta.

O caminho da conscientização para a comunidade do evangelho precisa passar pela *intencionalidade*.

A mudança acontece quando desenvolvemos relacionamentos pessoais com pessoas de etnias e experiências de vida diferentes, procuramos entendê-las, passamos a respeitá-las e aprendemos com elas. Assim começa a busca vitalícia pela comunidade do evangelho.

É impossível superestimar a importância disto: uma comunidade multicultural do evangelho precisa começar no nível relacional.

Em nossa igreja, dizemos que nosso objetivo não deve ser fazer eventos multiculturais, mas ter uma vida multicultural. Se vivermos de maneira multicultural, então eventos multiculturais acontecerão de forma natural e autêntica. Na prática, isso significa nos fazer constantemente as perguntas: "Tenho amigos diferentes de mim? Estou procurando aceitar e aprender com outras culturas? Tenho relacionamentos que levam o mundo que nos observa a se perguntar por que somos amigos quando parece haver tanto que nos separa?".

Unidos em Cristo, não buscamos *uniformidade*, mas, sim, uma comunidade da aliança de *unidade*.

O dr. King disse notoriamente que 11h da manhã aos domingos era a hora mais segregada dos Estados Unidos.

Talvez haja uma exceção: 18h ao redor da mesa todas as noites.

Nossa sala de jantar necessita de tanta diversidade quanto nossos cultos. Enquanto isso não acontecer, a diversidade em nossas reuniões será mera encenação.

Comece de novo, Pedro!

A igreja primitiva também tinha suas questões com discriminação e privilégio. Até Pedro, que concorre ao posto de líder mais proeminente da igreja, foi pego discriminando outros cristãos que não faziam parte de sua cultura.

Então Paulo, conforme contou aos gálatas, o confrontou face a face.

Dá para imaginar ser publicamente confrontado por Paulo? Garanto que não foi um dia divertido para Pedro.

"Você se esqueceu do evangelho!", Paulo lhe disse. Era uma declaração ousada a se fazer ao chefe da igreja, que havia aprendido diretamente com Jesus por três anos.

No evangelho, Paulo o relembrou, tudo que temos é dom da graça. Não há nada a nosso respeito que Deus tenha visto e considerado melhor do que em outras pessoas. E se Deus nos incluiu quando éramos forasteiros, como ousamos excluir outros?

Você realmente acha que é alguém, Pedro? Você não se lembra de sua condição quando Deus o salvou?

Nós nos aproximamos de Jesus cheios de vergonha, máculas e sujeira. Cremos no evangelho e fomos embora 100% impecáveis, limpos, aceitos e justificados.

Além disso, o evangelho nos ensina que Jesus sacrificou todas as preferências dele para entrar em nosso mundo e nos salvar. Por que não fazer isso pelos outros? Pense: você consegue imaginar as diferenças culturais entre o céu e a comunidade suja e atrasada de Nazaré, a qual Jesus chamou de lar? Mas Jesus considerou nossa salvação mais importante que seu conforto celestial e então deixou tudo de lado, assumindo a forma de servo a fim de poder nos salvar (Fp 2.5-11).

204 O EVANGELHO ACIMA DE TUDO

Entendeu o que quero dizer quando afirmo que o evangelho contém todo o poder necessário para a unidade racial?

É por isso que nós, cristãos, somos capazes de oferecer algo que nossa sociedade só consegue almejar. A sociedade quer que nos conscientizemos. Em momentos cruciais de tragédia nacional, deseja nossa interação. Quer que nos relacionemos bem. Mas não pode nos oferecer uma maneira de amar uns aos outros como família.

Como diz o velho ditado, o chão é nivelado ao pé da cruz.

De maneira prática, para nós na liderança da igreja, buscar a comunidade do evangelho significa estruturar nossos cultos de maneira diferente do que se toda a igreja fosse branca (falaremos mais sobre isso no próximo capítulo). Significa priorizar a diversidade nos líderes que estamos desenvolvendo. Significa facilitar conversas nas quais seja seguro falar sobre diferenças étnicas e os desafios decorrentes dessas diferenças. Significa valorizar a unidade no evangelho acima do alinhamento político (assunto que abordaremos no capítulo 8). Significa abrir caminho e ser exemplo nas amizades multiculturais.

Esse tipo de unidade familiar chamou muito a atenção quando o cristianismo entrou em cena no primeiro século. Mostrou às pessoas que Jesus não introduziu uma nova religião, mas uma nova *humanidade*. E se deixarmos o evangelho nos transformar a fim de levarmos uma vida multicultural, também chamaremos a atenção de muitos.

Um momento *kairos*

Acredito que a igreja americana está em um momento *kairos* em relação à graça.

Kairos é uma palavra grega para tempo que implica um momento especificamente determinado na história. Creio que Deus designou esse momento no mundo para que a igreja se levante e demonstre a unidade em Cristo pela qual o mundo anseia.

Aquilo que nossa sociedade não consegue produzir por meio das leis, Deus cria pelo evangelho. *Esse* é o verdadeiro poder. É o poder de Deus. E é por isso que ele deve estar acima de tudo.

A Bíblia nos ensina sobre os três grandes fatores em comum que todos os seres humanos compartilham:

Todos os homens e mulheres foram criados iguais, pois cada um existe à imagem de Deus.

Todas as etnias sofrem de um problema comum — o pecado.

E todas dirigem o olhar para uma esperança em comum — Jesus.

O evangelho cria uma nova humanidade, uma raça redimida formada por todas as cores, à imagem de Cristo.

Aliás, vou dividir um fato pouco conhecido sobre Romanos, o livro no qual Paulo faz a abordagem mais completa do evangelho. Ele foi escrito para uma igreja sofrendo divisão étnica entre judeus e gentios. Paulo estava mostrando aos romanos que, por meio da cruz, Deus havia criado uma humanidade totalmente nova, que transcendia quaisquer divisões vivenciadas pela sociedade.

> Jesus não introduziu uma nova religião, mas uma nova *humanidade*.

Isso significa que sempre que passamos por conflitos étnicos em nossas igrejas, provavelmente isso não acontece porque nossas diferenças étnicas são grandes demais, mas, sim, porque nosso evangelho é demasiado pequeno.

Deus criou uma diversidade de etnias para manifestar sua glória como um diamante de múltiplo esplendor, e devemos ver essa glória refletida em primeiro lugar na igreja.

Não só fomos criados como uma só raça, mas também, em volta do grande trono de Cristo em Apocalipse, adoraremos o Filho ressurreto como uma nova raça redimida, formada por pessoas de toda tribo, língua e nação. Assim, em fidelidade ao evangelho, a igreja, o "plano A" de Deus para resgatar o mundo, deve continuar a ser um lugar de refúgio para pessoas de todas as cores, um raio de luz que aponta para o que está por vir.

Refletir a diversidade da comunidade e proclamar a diversidade do reino. A constituição do público que frequenta nossos templos no fim de semana deve declarar inequivocamente:

Somos uma só raça — humana.

Com um problema — o pecado.

Unidos em um Salvador — Jesus Cristo.

Apaixonados por uma cor — vermelho carmesim.

Aguardando a mesma esperança — a *ressurreição*.

O evangelho acima de tudo.

8

O evangelho acima das minhas preferências

....

Se meus ouvintes não se convertem, sinto que perdi meu tempo. Perdi o exercício do cérebro e do coração. Sinto que perdi a esperança e a vida, a menos que encontre para meu Senhor alguns daqueles a quem ele comprou com seu sangue. [...] Eu preferiria conduzir um pecador até Jesus a desvendar todos os mistérios da Palavra divina, pois a salvação deve ser nosso motivo de existir.

CHARLES SPURGEON

A mulher junto ao poço tentou trazer Jesus para dentro de uma guerra entre sistemas de adoração.

"É assim que nós, samaritanos, achamos que vocês devem adorar", disse ela.

Mas Jesus não mordeu a isca. Pelo menos não completamente.

Ele pegou a isca e pescou a mulher com ela. Disse-lhe que o Pai estava em busca de *qualquer* pessoa que o adorasse em espírito e em verdade.

Ela nunca havia ouvido falar desse estilo de adoração.

"Adorar em verdade" significa pensar corretamente sobre Deus. E "em espírito" significa que nossa adoração precisa ir além da mente. É uma coisa de espírito com Espírito. Não se trata apenas de conhecimento, mas também de intimidade.

Na adoração, Deus quer que nossa mente pense corretamente sobre o evangelho e que nosso espírito responda apropriadamente ao evangelho. Assim, se é com isso que *Deus* de fato se importa, por que discutimos tanto sobre o formato dos cultos?

Com base na resposta de Jesus, não consigo vê-lo pensar que adoração está ligada ao uso de violão ou não. Ou de sinos. Ou de bateria. Ou se você bate palmas. Ou se usa o hinário. Ou uma máquina de gelo seco. Ou a palavra falada. Ou uma harmonia em quatro vozes com partituras. Ou duração de uma hora ou quem sabe de três.

Adorar é pensar corretamente sobre Deus e reagir adequadamente ao evangelho.

Tenho o privilégio de pastorear uma igreja cujos membros vêm de várias origens. E pessoas de origens diferentes têm expectativas diferentes em relação ao culto.

Temos muitos batistas do sul tradicionais.

Não há muito *movimento* em sua forma de adorar, mas há bastante volume, especialmente quando cantamos os hinos mais antigos. Se estiverem bem envolvidos, podem até levantar um braço por um instante, como se quisessem fazer uma pergunta. Se estiverem passando por um reavivamento, balançarão para a frente e para trás, com ambos os braços em noventa graus em relação aos cotovelos, como se estivessem carregando uma televisão invisível.

E, é claro, cantam apenas as palavras exatas da letra das músicas.

Quando prego, eles pontuam um "amém" em *staccato* cada vez que chego a um ponto de destaque do sermão.

Junto com eles, um número considerável de afro-americanos.

Alguns desse grupo são mais comunicativos em sua reação à mensagem. Gostam de "me ajudar" (palavras deles) enquanto prego — respondendo com frases completas, verbos,

O EVANGELHO ACIMA DAS MINHAS PREFERÊNCIAS **209**

advérbios, orações subordinadas e algumas perguntas. Mais de uma vez já me perguntei se eu deveria parar e *responder* de fato à pergunta, ou guardar para uma próxima.

Durante o louvor, eles se equiparam aos membros brancos em volume, mas acrescentam palmas ritmadas, brados e pulos que não costumo ver em meio aos irmãos que cresceram em igrejas batistas tradicionais do interior. E alguns cantam tanto palavras que *não* estão na letra quanto as que estão.

Nossos membros latinos combinam esse entusiasmo santificado com uma resistência sobrenatural. Ficam genuinamente pasmos em como conseguimos "fazer igreja" em uma hora e quinze minutos. Nosso pastor hispânico me conta que eles mal passaram do momento dos anúncios nesse tempo. E qualquer coisa menos do que duas horas de cânticos não pode ser legitimamente chamada de "adoração". Estou falando sério: da primeira vez que participei de um culto da Summit em castelhano, perdi o almoço com minha família. E quem sabe o jantar também...

Mas se estamos falando de louvor impetuoso, nossos membros coreanos são um caso à parte.

Por um tempo, um grupo de estudantes coreanos se assentava na segunda fileira. Da primeira vez que os vi adorando, pensei honestamente que alguém ia acabar se machucando.

Eles não "cantavam" as músicas.

Eles gritavam.

Às vezes batendo forte o pé de acordo com o ritmo.

Vários pareciam tentar dar um "toca aqui" em Deus lá no céu. No entanto, quando eu me levantava para pregar, era como se alguém desligasse o interruptor.

Off.

Aqueles adoradores apaixonados ficavam em silêncio absoluto ao longo de toda a pregação, até mesmo durante as melhores partes. Isso aconteceu por várias semanas seguidas, e fui ficando um pouco desanimado. Achei que talvez não estivessem conseguindo se conectar com meus sermões, até que finalmente perguntei a um deles.

— Vocês têm um entusiasmo tão grande enquanto cantam, mas durante os sermões... — demorei para encontrar a pergunta certa. — O que eu falo não está fazendo sentido para vocês?

Meu amigo fez uma expressão confusa por um instante, depois respondeu:

— Não, pastor J. D.! Nós amamos sua pregação tanto quanto as músicas. Mas em nossa cultura não é educado falar enquanto o pastor está pregando. Ficar sentado em silêncio é nossa forma de demonstrar respeito por você e pela Palavra pregada.

Chegou o momento de questionar então: Qual desses estilos é a forma bíblica e correta de adorar?

Bom, sim e amém.

Reconheço que estou generalizando ao falar sobre cristãos negros, latinos e coreanos. Sei também que muitas exceções podem ser encontradas nesses grupos. Mas a ideia-chave é que os cristãos chegam à igreja com preferências diferentes em relação ao estilo, as quais costumam corresponder a sua formação cultural.

Tornando-se "judeu para os judeus"

Para o apóstolo Paulo, a questão não era qual estilo de culto ele preferia, mas, sim, "Qual me ajuda mais a alcançar as pessoas com o evangelho?". Aliás, ele disse algumas coisas genuinamente espantosas sobre as mudanças que estava disposto a

O EVANGELHO ACIMA DAS MINHAS PREFERÊNCIAS **211**

fazer a fim de alcançar esse objetivo. Leia o que ele escreveu aos coríntios:

> Embora eu seja um homem livre, fiz-me escravo de todos para levar muitos a Cristo. Quando estive com os judeus, vivi como os judeus para levá-los a Cristo. Quando estive com os que seguem a lei judaica, vivi debaixo dessa lei. Embora não esteja sujeito à lei, agi desse modo para levar a Cristo aqueles que estão debaixo da lei. Quando estou com os que não seguem a lei judaica, também vivo de modo independente da lei para levá-los a Cristo. Não ignoro, porém, a lei de Deus, pois obedeço à lei de Cristo. Quando estou com os fracos, também me torno fraco, pois quero levar os fracos a Cristo. Sim, tento encontrar algum ponto em comum com todos, fazendo todo o possível para salvar alguns.
>
> 1Coríntios 9.19-22

A parte mais interessante dessa passagem para mim é a declaração de Paulo de que "Quando estive com os judeus, vivi como os judeus". Espere um pouco... Paulo *era* judeu! Então de que maneira um judeu se torna judeu para alcançar os judeus? Quando é que um judeu não é judeu?

No mínimo, mostra que Paulo tinha uma relação *tão desprendida* com a própria cultura judaica que precisava *readotá-la* ao se relacionar com outros judeus. Ele a tirava e punha como se fosse uma peça de roupa. O cristão que realmente ama o evangelho faz o mesmo.

Isso significa, por exemplo, que preciso me tornar novamente um americano do sul ao me relacionar com outros americanos do sul. Não faço isso por desprezar minha cultura e tentar me distanciar dela, mas por reconhecer que, muito embora minha identidade em Cristo não invalide minha cultura, ela a relativiza (juntamente com todas as outras facetas de minha existência).

Deixe esse pensamento marinar na frigideira do cérebro por um tempo...

Ou, como alguns de nossos membros negros gostam de dizer: "Manda ver, pastor!".

Por que a música é importante

Já faz alguns anos que passou a célebre "guerra" envolvendo louvor e adoração, mas é surpreendente o quanto as preferências musicais continuam causando divisão. No mundo ocidental, pelo menos, o fiel pode concordar com a igreja em todas as doutrinas importantes, mas se a música não é adequada para ele, sente que não se encaixa e procura outro lugar. Infelizmente, essa provavelmente está entre as principais razões para as pessoas saírem de nossa igreja e irem para outras ou saírem de outra e virem para a nossa.

Isso acontece porque música e cultura estão intimamente ligadas.

Aliás, penso que podemos olhar para as preferências musicais e nossa maneira de lidar com elas como um microcosmo para todo tipo de preferências culturais. Com frequência, é aí que "a porca torce o rabo" em nossa disposição de nos engajar na diversidade multicultural.

A maioria de nós não é tão flexível quanto gosta de pensar.

No início de meu ministério, conversei com um universitário branco que me exortou a integrar melhor as minorias a nossa igreja. Concordei com tudo que o jovem disse, por isso fiquei surpreso quando ele apareceu depois do culto, certo fim de semana, com uma queixa.

O EVANGELHO ACIMA DAS MINHAS PREFERÊNCIAS **213**

Ao que parece, ele não havia gostado de algumas das mudanças que fizemos na adoração. Não apreciou algumas das músicas novas que estávamos cantando, nem o fato de que o ministro de louvor chamava as pessoas para bater palmas e levantar as mãos.

Talvez aquele universitário não estivesse tão disposto a viver uma adoração multicultural quanto havia expressado. É possível que quisesse, na verdade, uma adoração *multicolorida*, com pessoas de cores diferentes adorando da maneira que ele preferia.

Não é a mesma coisa.

Eu seria mais duro com ele se eu não fosse exatamente do mesmo jeito.

Conforme mencionei no último capítulo, Vance Pitman afirma que o sinal de que você se encontra em uma igreja multicultural é sentir desconforto às vezes. Até se for o pastor da igreja! E, em minha experiência, uma das primeiras áreas em que o desconforto se manifesta é na música. Se a música em sua igreja nunca lhe pareceu desconfortável, bem, pode ter a certeza de que ela causa desconforto em alguém.

Nosso problema é que não entendemos por que as pessoas *não* querem se expressar em adoração da mesma forma que a gente. Presumimos que a relutância em adorar como nós é evidência de algum defeito espiritual inato.

Por exemplo, algumas das pessoas mais "expressivas" de nossa igreja ficam frustradas com os mais contidos, indagando como conseguem se manter impassíveis na presença de um Deus tão grandioso. Argumentam: "Vocês gritam como loucos *por causa de um time de basquete*, então por que não o fazem para o Deus do universo? O Rei James (LeBron James) realmente merece uma reação mais empolgada do que o Rei Jesus?".

Em contrapartida, existem aqueles que acham que a adoração emocionalmente carregada é manipuladora, explorando a dinâmica da multidão para depois chamar toda aquela comoção de "mover do Espírito". Muitos em nosso contexto ocidental, tanto cristãos quanto descrentes, sentem ceticismo diante de momentos emocionais forçados, *sobretudo* quando são rotulados como obra do "Espírito de Deus".

Então, quais preocupações culturais são mais válidas?

Como já disse antes, sim e amém.

Ambos os lados trazem verdades para o diálogo sobre adoração que precisam ser ouvidas e praticadas.

É possível que nossa adoração se transforme em momentos emocionais planejados e enganosos?

Sem dúvida.

Mas também é possível que nossa adoração seja insossa, sem o entusiasmo devido, um entusiasmo que dedicamos voluntariamente a outras coisas menos importantes?

Sem dúvida.

Precisamos parar de pensar na adoração em nossas igrejas como um movimento diametralmente oposto entre extremos do tipo "ou isto, ou aquilo". Assim como em muitas áreas do ministério, essa é uma área na qual vivemos em tensão, equilibrando o "não só como também" da mente *e* do coração, da sabedoria *e* da paixão.

Devemos estudar a Bíblia, analisar nossos contextos e estar abertos a adorar junto com outros que se expressam de maneira diferente da nossa.

O evangelho nos chama a alcançar mais do que pessoas *parecidas conosco*.

E isso significa que precisamos ficar confortáveis em sentir desconforto.

O EVANGELHO ACIMA DAS MINHAS PREFERÊNCIAS **215**

Ao longo desse caminho, provavelmente teremos a revelação de alguns pontos cegos. Essa é uma das muitas belezas do corpo multicultural de Deus. Somos mais completos juntos do que separados.

Mão aberta ou fechada?

Um componente crucial desse debate é saber como separar "preferência cultural" de "princípio bíblico". De um lado, algumas das condenações mais duras nas Escrituras se dirigem àqueles que não conseguiam separar as duas ideias. Jesus, por exemplo, acusou os fariseus de sua época de se apegar tanto a suas tradições que acabavam transgredindo a lei de Deus:

> E por que vocês, com suas tradições, desobedecem ao mandamento de Deus? Pois Deus ordenou: "Honre seu pai e sua mãe" e "Quem insultar seu pai ou sua mãe será executado". Em vez disso, vocês ensinam que, se alguém disser a seus pais: "Sinto muito, mas não posso ajudá-los; jurei entregar como oferta a Deus aquilo que eu teria dado a vocês", não precisará mais honrar seus pais. Com isso, vocês anulam a palavra de Deus em favor de sua própria tradição. Hipócritas! Isaías tinha razão quando assim profetizou a seu respeito:
>
> "Este povo me honra com os lábios,
> mas o coração está longe de mim.
> Sua adoração é uma farsa,
> pois ensinam ideias humanas
> como se fossem mandamentos divinos".
>
> Mateus 15.3-9

E temos também Paulo, que, conforme vimos no último capítulo, repreendeu o apóstolo Pedro face a face por

216 O EVANGELHO ACIMA DE TUDO

priorizar costumes culturais em lugar da unidade no evangelho (Gl 2.11-14). Ai de nós se dissermos: "Assim diz o Senhor" em relação a uma de nossas preferências se não foi Deus quem disse assim!

Os estudiosos da Bíblia já observaram que muitos dos livros do Antigo Testamento encontram um equivalente no Novo. Daniel, o livro apocalíptico do Antigo Testamento, encontra sua contraparte em Apocalipse, por exemplo. Livros históricos como Êxodo ou 1—2Samuel encontram uma contraparte nos relatos históricos dos Evangelhos e de Atos. A literatura de sabedoria, como Provérbios, possui diversos paralelos com o livro de Tiago.

Mas não achamos um equivalente a Salmos, o antigo hinário de Israel.

Não acho que isso aconteça por acidente.

É claro que a igreja do Novo Testamento possuía um conjunto de músicas para cantar, assim como o povo de Israel. Parte de mim desejaria que elas houvessem sido preservadas para a posteridade. Em grande medida, porém, sou grato porque os apóstolos decidiram *não* codificar um manual de adoração do Novo Testamento. Por quê? Porque teríamos pegado *aquela* expressão musical, moldada por *aquela* cultura específica, e declararíamos que ela é o evangelho. Muito embora peguemos a letra de salmos antigos para acrescentar a melodias modernas, eles foram escritos originalmente para a cultura judaica, com métrica e rimas hebraicas. Toda música é assim, e se houvesse Salmos no Novo Testamento, o estilo cultural do louvor seria mais normativo para a igreja.

Amigos, a adoração na igreja jamais teve o objetivo de ser moldada por uma cultura. Deus não inseriu uma preferência musical no Novo Testamento de propósito.

Devemos segurar essas preferências musicais de mãos abertas, prontos para alterá-las ou removê-las de acordo com as necessidades da missão. Em contrapartida, há uma série de coisas às quais precisamos nos apegar de mãos fechadas. O evangelho não pode ser comprometido. Tampouco as doutrinas essenciais, a ética, a pureza, a integridade, a humildade e a submissão às Escrituras. Essas coisas devem ser seguradas com firmeza, sem mudança a despeito da força da pressão cultural.

As Escrituras devem moldar nossa abordagem a *todo* e qualquer ministério, e há muito no Novo Testamento que prescreve aquilo que Deus deseja para nossa adoração. Não somos livres para adorá-lo da maneira que quisermos. No Antigo Testamento, pessoas morreram ao tentar fazer isso (Lv 10.1-3). A adoração coletiva, por exemplo, sempre deve ser congregacional, não regularmente praticada em isolamento, por meio de conexão remota. A pregação precisa receber posição central em todas as igrejas e deve estar alicerçada na autoridade e inerrância da Bíblia. A oração deve ser um elemento essencial em nossas reuniões. Precisa haver espaço para as pessoas exercerem seus dons espirituais. As duas ordenanças, a ceia do Senhor e o batismo, precisam ser ministradas com regularidade. Entre muitas outras coisas. Embora a prática desses elementos possa diferir de uma igreja para a outra, nenhuma tem permissão para negligenciá-las. Precisam permanecer na mão fechada.

Na mão aberta ficam os elementos da adoração que podemos mudar — as coisas a que Paulo se refere como tornar-se judeu para os judeus. A tragédia da igreja evangélica é que trocamos as mãos, colocando as coisas na mão errada.

Algumas igrejas puseram de lado, há muito tempo, a centralidade da Palavra de Deus e a inerrância da Bíblia, mas demitem pastores por tentarem tirar o órgão de dentro do templo.

As mãos se inverteram.

Quando Jesus se irou

O momento em que encontramos Jesus mais irado nos Evangelhos aconteceu quando ele observou líderes judeus se aglomerando no pátio dos gentios com artigos de conveniência para vender aos salvos. Percebeu que o átrio fora tomado por mascates vendendo sacrifícios para ser usados na adoração do templo.

Em primeiro lugar, Jesus ficou irado por terem ocupado o único espaço separado para os gentios buscarem a Deus. Usando um chicote, Jesus exclamou: "Minha casa foi criada para ser uma casa de oração para todas as nações, mas vocês a transformaram em um covil de ladrões!" (Mc 11.17, paráfrase do autor).

Talvez você, assim como eu, tenha aprendido que o que irritou Jesus foi o fato de haver pessoas ganhando dinheiro dentro da igreja. A aplicação é que se você vender CDs, livros ou camisetas no saguão da igreja, não deve colocar uma grande margem de lucros. Isso provavelmente também é válido, mas a primeira parte da declaração revela a origem de sua ira:

"Minha casa *foi criada para ser uma casa de oração para todas as nações*".

Não era primariamente uma questão de desagrado pela venda de camisetas superfaturadas em nossos saguões.

Jesus se irou não só com o que eles estavam fazendo, mas também com o que seus costumes impediam que outros fizessem. Eles haviam transformado um lugar de acesso aberto para os gentios em um catálogo de confortos e conveniências para quem já era salvo!

Ter um lugar para trocar dinheiro e vender animais para sacrifício tão perto do altar era, sem dúvida, conveniente para os judeus. O problema é que isso mantinha os de fora afastados do único lugar onde poderiam observar as belezas da adoração.

Imagino alguns dos judeus retorquindo: *"Mas Jesus, este templo não se destina em primeiro lugar aos gentios. É para os judeus. A adoração no templo não é para os perdidos, mas, sim, para os salvos".* E tecnicamente eles estariam corretos. No entanto, Deus também havia ordenado aos judeus, como *parte* de sua adoração, que proporcionassem fácil acesso para os gentios interessados em ouvir e conhecer a verdade.

> Como Jesus deve se sentir quando uma igreja se recusa até mesmo a *refletir* sobre o que precisa mudar em suas tradições a fim de alcançar a próxima geração?

Quando isso não aconteceu, Jesus ficou furioso. Haviam transformado o portal do forasteiro em uma loja de conveniências para os de dentro.

Por que Jesus sentiria algo diferente hoje acerca de uma igreja que não faz adaptações em sua pregação, música, linguagem, preferências, prática de tradições, programas infantis — e até mesmo em coisas como estacionamento e sinalização — para tornar o evangelho acessível a quem vem de fora? Ao não pensar nos interessados de fora a nos observar, interessados esses que Deus vem atraindo para si durante nosso culto, não estamos criando os mesmos obstáculos aos "gentios" que os judeus da época de Jesus?

Parece que muitas igrejas se importam mais em manter as tradições do que em alcançar seus netos.

220 O EVANGELHO ACIMA DE TUDO

Como Jesus deve se sentir quando uma igreja se recusa até mesmo a *refletir* sobre o que precisa mudar em suas tradições a fim de alcançar a próxima geração?

Preferindo as tradições aos netos

Sei que pode parecer que eu odeio as tradições. Mas não é assim.

As tradições podem ser guardiãs da sabedoria. Conforme afirmou G. K. Chesterton certa vez, se chegarmos a uma porteira em uma estrada sem saber ao certo por que ela está lá, removê-la antes de entender quem a colocou ali e por qual motivo pode não ser a forma mais sábia de agir.[1] Observar as tradições pode ser um atalho para a sabedoria, uma resposta humilde a nossos antepassados que aprenderam as coisas por tentativa e erro, e o desejo de transmitir a bênção da sabedoria deles para nós.

Em contrapartida, conforme já vimos, as Escrituras deixam claro que entramos em condenação se não pudermos — ou não quisermos — separar nossas práticas culturais de verdades essenciais do evangelho, criando assim impedimentos ao evangelho.

Precisamos ser francos e admitir que muitas de nossas tradições nada têm a ver com o evangelho. São meros reflexos de nossas preferências, das preferências de nossos pais ou avós. E embora devamos amar nossos avós, precisamos igualmente amar nossos netos o bastante para alcançá-los também com o evangelho.

Na passagem de 1Coríntios 9, destacada anteriormente, na qual Paulo explica o que está disposto a fazer para alcançar as pessoas, ele compara o processo inteiro a uma corrida (1Co 9.24). Quando participo de uma corrida, seja um tiro rápido de cem metros rasos ou uma maratona completa, não carrego comigo nenhum excesso de peso. Posso amar minha coleção de 55 volumes das obras completas de Martinho Lutero (de fato, essa é uma das minhas posses mais amadas), porém Lutero não me acompanha durante uma maratona.

Deixo de lado tudo que atrapalhe a vitória.

Por que isso faz tanto sentido em uma corrida literal, mas parece tão difícil na vida eclesiástica? A corrida para ganhar a alma das pessoas não é a mais urgente de todas?

Creio que parte do problema é que nos ocupamos tanto com o que estamos *perdendo* que não paramos para pensar no que vamos *ganhar*. Abrir mão de preferências e tradições é difícil, sem dúvida. Mas fazer sacrifícios é mais do que perder.

Sacrificar significa abrir mão de algo que você ama por alguém que você ama mais ainda.

Eu amo minha tradições e preferências culturais, mas amo ainda mais meus próximos que estão perdidos. Por isso, alegremente abro mão dos primeiros para ganhar mais alguns do segundo grupo.

Jesus achou que valia a pena deixar o céu por minha causa. Não valeria a pena abrir mão de minhas preferências por meu próximo perdido?

A disposição para mudar só pode ser sustentada, no longo prazo, por uma paixão pelos perdidos. Quando começamos a nos condoer como Paulo pelos perdidos, dispostos (conforme disse ele em Rm 9.1-3) a ir até mesmo ao inferno por eles, abrir mão de tradições estimadas não parece um sacrifício tão grande assim.

Vi essa transformação acontecer há quase duas décadas na Summit. Cerca de um mês depois de me tornar pastor da igreja, encontramos um conjunto de sinos para coral em um armário.

222 O EVANGELHO ACIMA DE TUDO

Eles não estavam sendo usados, e ninguém conseguia lembrar qual fora a última vez que saíram de dentro do depósito. Alguns dos leitores devem estar se perguntando: "Coral de sinos? Que história é essa?". Coloque no YouTube. É esplêndido!

Bem, estávamos precisando de novos equipamentos para a banda e os sinos valem uma nota, então fazia sentido vendê-los a fim de usar os recursos para comprar instrumentos novos.

Algumas semanas depois, uma doce senhora — cuja família frequentava a igreja havia anos — me abordou dizendo que tomara conhecimento de nossos planos. Ela queria saber por que faríamos aquilo.

Tentei explicar, quando ela interrompeu educadamente e disse:

— Minha mãe, que morreu há alguns anos, deixou o dinheiro para comprar o conjunto de sinos para coral em seu testamento.

Houve uma longa pausa.

Eu entrei em pânico. Nosso plano era comprar duas guitarras com o dinheiro da venda. Eu não sabia o que dizer. Abaixei a cabeça e silenciosamente comecei a fazer meus votos para com Deus.

Em algum lugar distante, um cachorro latiu.

Deixei escapar nossos planos.

Ela disse:

— A doação da minha mãe será usada para comprar guitarras elétricas?

Tentando encontrar uma saída, eu lhe disse:

— Bem, você não acha que sua mãe no céu ficará feliz em nos ver usando instrumentos que nos ajudarão a alcançar esta próxima geração, inclusive os netos dela e seus amigos?

Ela pensou por um instante, então sorriu e disse:

— Bem, pode ser... Acho que mamãe ficaria feliz com isso. É uma boa forma de pensar a esse respeito.

Então a bondosa senhora pediu que não vendêssemos os sinos, mas os doássemos para outra igreja. E eu fiquei feliz em fazer essa concessão. Mas ela não demonstrou resistência ao vê-los partir e não deixou nossa igreja enquanto mudamos diversas vezes nosso estilo de adoração, na busca de alcançar novas gerações e novas comunidades. Continua conosco hoje, levantando as mãos em louvor toda semana, liderada por guitarras e teclados, em lugar dos sinos que tanto amava.

E milhares de universitários se unem a ela. Por causa de sua abnegação, nossa igreja tem alcançado toda uma nova geração.

Estou dizendo que a igreja precisa de guitarras para alcançar a próxima geração? Não exatamente. Aliás, algumas igrejas descobrem que os mais jovens são atraídos a estilos de adoração mais tradicionais e litúrgicos. De que modo isso acontecerá em sua igreja pode parecer diferente da nossa. Mas a ideia-chave *precisa* estar presente: se nosso estilo de adoração nos força a escolher entre alcançar nossos netos ou nos apegar a nossas tradições, eu escolho os netos toda vez.

Mais ou menos na mesma época, tive o privilégio de batizar um jovem chamado Antwain. Até onde eu sabia, Antwain foi o primeiro afro-americano a ser batizado na história da Summit. Sua experiência de vida era extraordinária. Ele havia suportado um passado difícil, para usar termos leves. Nós nos conhecemos em uma noite de "quadra aberta" que realizei no ginásio de nossa igreja. Seu apelido era "Ar", por causa da altura de seus saltos. (Todos tinham apelidos. Um cara era chamado de "Grana", porque raramente perdia um arremesso de três pontos. Outro era conhecido como "Manteiga", porque escorregava para longe dos outros enquanto conduzia a bola com mestria. Meu apelido era "Não arremesse!". Verdade verdadeira.)

Após vários meses de amizade com Antwain, longas conversas, jantares e estudo da Bíblia, a luz da graça finalmente penetrou em seu coração, e eu estava lá com ele quando orou aceitando a Cristo.

Alguns domingos depois desse dia, ele entrou em nosso tanque batismal e deu um dos testemunhos mais claros do poder de Cristo que já ouvi. Foi incrível, e era difícil encontrar alguém que não estivesse enxugando as lágrimas em meio à congregação quando ele terminou. Em seguida, eu o batizei.

Depois do culto, um senhor idoso de nossa igreja se aproximou de mim.

— Filho — começou ele —, você sabe que eu não gosto muito dessas mudanças que você está fazendo em nossa igreja.

Fiquei preocupado com o rumo que a conversa tomaria. Fiquei ali em silêncio. Tenho quase certeza de que o mesmo cachorro latiu em algum lugar à distância novamente.

Então ele se emocionou e disse:

— Mas se o que aconteceu hoje é o caminho que estamos seguindo, pode contar comigo em tudo que fizer.

Esse é o coração daqueles que colocam o evangelho acima de suas preferências.

Quando o caminho dos gentios até Deus é dificultado

Há alguns anos, enquanto eu pregava sobre Atos, uma expressão pareceu saltar da página até mim. Era a conclusão de Tiago a uma discussão realmente difícil acerca de quais tradições judaicas insistiriam que os gentios recém-convertidos cumprissem a fim de haver harmonia dentro da igreja: "Portanto,

O EVANGELHO ACIMA DAS MINHAS PREFERÊNCIAS **225**

considero que não devemos criar dificuldades para os gentios que se convertem a Deus" (At 15.19).

Certo professor de teologia disse, acerca dessa frase: "Se eu pudesse, escreveria isso no púlpito de cada igreja do país. Entalharia esse verso na pedra fundamental de cada igreja".

Às vezes, enquanto estou pregando, penso nessas palavras. E também quando estamos tomando decisões acerca do estilo de adoração a ser adotado, que programas da igreja realizar, ou que regras e padrões exigir. Penso nisso quando o período eleitoral se aproxima e reflito se colocarei uma placa no meu jardim ou um adesivo no carro.

Jamais quero me esquivar de pregar uma só verdade da Bíblia, *mas também não quero criar dificuldades para que pessoas sem familiaridade com o cristianismo se entreguem a Deus.* Não quero dificultar as coisas para os interessados em nossa igreja, que ouviram dizer que Deus está agindo aqui — mas então chegam e é horrível para estacionar, as salas infantis estão superlotadas e o templo de adoração é uma bagunça. Não quero que as pessoas vão embora de nossa igreja porque não nos planejamos com antecedência e não temos um número adequado de voluntários para recepcioná-los.

Não quero causar dificuldades para aqueles que desejam começar o processo de discipulado ao ter um processo enfadonho demais para entender.

Não quero causar dificuldades para os afastados *voltarem* para Deus porque uso "cristianês" quando prego ou faço caricaturas dos descrentes que satirizam e representam incorretamente suas opiniões, mostrando que não os respeito de verdade.

Não quero causar dificuldades para alguém voltar para Deus porque coloquei uma placa em meu jardim apoiando um candidato político de quem a pessoa não gosta.

Não quero causar dificuldades para pessoas de outras etnias que estão se entregando a Deus porque não temos representatividade multicultural em nossa liderança, ou porque nos fazemos de surdos diante de suas inquietações.

Não quero causar dificuldades para aqueles que lutam com a atração por pessoas do mesmo sexo e estão se aproximando de Deus ao estigmatizar esse pecado e deixar de tratá-los como indivíduos criados à imagem de Deus que, muitas vezes, estão confusos e feridos. Um amigo meu afirma que cada adolescente que sai da igreja por sentir atração pelo mesmo sexo foi primeiro uma pessoa da igreja que não conseguia entender por que Deus não respondia a sua oração de acabar com esse sentimento. Quero falar com clareza sobre esse assunto — o comportamento homossexual é pecado —, mas também com bondade e compaixão. *Gays*, lésbicas e transgêneros são, em primeiro lugar e antes de mais nada, pessoas criadas à imagem de Deus. Não são definidos por sua identidade sexual, mas, sim, por aquele que os criou à própria imagem. Precisam sentir, de minha parte, principalmente o respeito e a compaixão que acompanham esse reconhecimento, não achar que são alvo de meu desdém, escárnio ou um bloco de eleitores a ser marginalizado.

Se o cristianismo for ofensivo, quero que o evangelho cause a ofensa, não eu.

Graça e verdade.

Todo aquele que provou a generosidade imerecida do evangelho não deveria fazer o que estiver a seu alcance para remover os obstáculos existentes entre o próximo e Deus?

Como podemos adorar um Salvador que deixou tudo para abrir caminho para nós e não estar dispostos a deixar de lado nossas preferências e conveniências em prol dos outros?

Loucos... por eles

Anos atrás, ouvi a história de um terremoto que aconteceu na Califórnia.

Entrevistaram um homem que estava dirigindo no meio da madrugada, por volta das três da manhã, quando o terremoto começou. Ele estacionou, esperou o terremoto acabar e então retornou devagar para a estrada. Apesar da surpresa repentina do acontecimento, ele achou que não havia mais nada com que se preocupar.

Até que viu o farol do carro a sua frente sumir de repente.

Ele reduziu a velocidade e, ao se aproximar do local onde os faróis haviam sumido, pisou fundo no freio. As luzes desapareceram porque o carro caíra em um abismo. O terremoto destruíra por completo uma pequena ponte na estrada.

Ao olhar pela beirada do desfiladeiro, viu o carro demolido abaixo. Enquanto pensava no que fazer para ajudar, virou e viu mais carros vindo na mesma direção.

Ele abanou as mãos e gritou para o primeiro carro parar.

O motorista o ignorou.

(Afinal, *você* teria parado às três da manhã se um estranho no acostamento de uma estrada começasse a gritar com você?) O homem observou horrorizado o carro desaparecer dentro do abismo. Também não teve sorte com o segundo carro, que o ignorou e despencou no desfiladeiro.

Foi então que viu um ônibus fazendo a curva. Ele conta: "Naquele momento, resolvi que a única maneira do ônibus cair no abismo seria me levando junto".

Então foi para o meio da estrada.

Balançando a camisa e gritando como um louco dizia: "Pare! Pare! Pare!". Felizmente, o ônibus parou. E embora o motorista tenha descido do veículo inicialmente furioso, quando ele viu o que havia acontecido — e percebeu quantas vidas aquele homem salvara — ficou imensamente agradecido.

Quando ouvi essa história, pensei: "O que eu faria se estivesse nessa condição?". Meu desejo é que eu fizesse o mesmo que aquele homem — agir como *louco* com o propósito de salvar vidas. Eu me importaria se as pessoas que viessem em minha direção me achassem lunático? Claro que não!

Porque eu tinha algo que elas não possuíam.

No que diz respeito ao evangelho, quanto mais devemos nós estar dispostos — nas palavras do apóstolo Paulo — a agir como loucos por causa de Cristo (2Co 5.13)? Não deveríamos estar dispostos a dizer: "Eu vi algo que você não está enxergando e suplico que ouça"? Partilhar o evangelho é uma missão urgente de resgate, mais urgente do que se víssemos um ônibus cheio de gente correndo rumo a um despenhadeiro.

É hora de parar de brincar de igreja e começar a reconhecer o que está em jogo.

Todos os dias, milhares de pessoas se lançam a uma eternidade sem Deus. É um destino muito pior do que cair em um desfiladeiro. Esse fato requer urgência em meio a nós que cremos. Talvez exija uma urgência que os outros consideram exagerada. Requer uma urgência que nos faça dispostos a abrir mão de nossas preferências e até da cultura. Precisamos deixá-las de lado como fazemos com uma jaqueta em um dia quente.

Como podemos dizer honestamente que somos o povo do evangelho se sinos — ou guitarras elétricas — forem tão importantes para nós a ponto de permitirmos que impeçam as pessoas de ouvir as boas-novas? Como podemos dizer que somos o povo do evangelho se nos casamos com nossas preferências de tal modo que impedimos quem sabe quantos "gentios" de ter a oportunidade de ouvir as boas-novas de Jesus?

Será que as pessoas não creem na urgência do evangelho porque nós não revelamos essa urgência em nossa forma de partilhá-lo? Porque valorizamos nossas preferências e opiniões pessoais mais do que a eternidade dos outros?

Não deveríamos ser aqueles que estão de pé no meio da estrada, balançando a camisa e chamando as pessoas a ir a Cristo em busca de salvação?

9

O evangelho acima da minha política

....

*O engajamento político do cristão é um tema
infinitamente difícil. Nosso Senhor nos instruiu a dar
a César o que é de César e a Deus o que é de Deus, mas
não facilitou para nós especificando os detalhes. Há mais
de dois mil anos, os cristãos, vez após vez, acham que
chegaram ao equilíbrio correto, até que a situação implode
bem diante deles. Sempre precisamos voltar ao balanço das
ideias, a saber, às primeiras coisas. Até quando e sobretudo
quando estamos intensamente engajados na batalha, as
primeiras coisas precisam permanecer em mente. [...]
De nada valerá se vencermos todas as batalhas políticas
enquanto perdemos a alma.*

RICHARD JOHN NEHAUS

"Eu espero que você tenha câncer e morra, seu _____."

Em geral, considero minha memória bem mediana. Talvez
até inferior à média. Mas acho que me lembrarei de cada palavra dessa pancada pelo resto da vida.

Não costumo receber insultos como esse, mas, quando
acontece, normalmente é depois de dizer algo que é interpre-
tado com viés político.

Talvez você se identifique. Publique uma foto do jantar
no Facebook e provavelmente você não causará muita po-
lêmica. Mas tente compartilhar suas opiniões sobre política!
Por mais cuidadoso, gentil e equilibrado que você seja, e a

despeito de qual seja o posicionamento, é provável que seu rol de comentários se transforme na versão digital do rol de palavrões encontrados em uma parede de banheiro público. Engajar-se nos comentários em seu *post* político é como lutar com um porco na lama. Os dois terminam sujos, mas só o porco fica feliz com isso.

Política nunca foi uma área que aquece o coração, mas parece um tópico especialmente traiçoeiro nos dias de hoje. É meio parecido com um gambá. Toque e você ficará malcheiroso por um mês.

Se eu mencionar uma posição política uma vez a cada cem sermões, é possível que essa seja a única lembrança a meu respeito na opinião pública. Todos os outros sermões que preguei não importariam.

A questão política sempre foi difícil para mim pessoalmente.

Entrei na faculdade para me formar em Ciências Políticas, com planos de fazer um mestrado em Direito e me tornar político.

Por um lado, creio que a verdade cristã permeia todas as arenas da vida. Conforme disse Abraham Kuyper, primeiro-ministro holandês no início do século 20: "Não existe um centímetro quadrado em todo o domínio da existência humana sobre o qual Cristo, Soberano sobre todas as coisas, não reivindique: 'É meu!'".[1]

Isso significa que os cristãos usam a sabedoria divina para questões de impostos, saúde, justiça racial, aquecimento global e literalmente todas as outras esferas da vida pública. Uma vez que os cristãos se envolveram no início da história do Estados Unidos, por exemplo, temos coisas como liberdade de expressão, liberdade religiosa e várias outras bênçãos políticas. Graças a Deus por elas!

Mas como eles *não* se envolveram de maneira apropriada na década de 1960, o movimento de direitos civis foi bem mais difícil e demorado do que deveria.

Em contrapartida, "encostar no gambá" pode obscurecer de maneira permanente nosso aroma do evangelho nas narinas de muitos.

É fácil para nós, cristãos, olhar para a política e sentir o desejo de nos retirar, *sobretudo* nos últimos anos. É muito mais difícil — e muito mais necessário — nos engajar na política como forma de impactar nossa sociedade e fazê-lo de maneira que mantenha o evangelho firmemente posicionado em seu devido lugar.

Se o evangelho está acima de tudo, como isso se revela no engajamento político?

Não pode significar que abandonamos totalmente o engajamento, pois Jesus ordenou que sejamos sal e luz na comunidade, que demos a César o que é de César, que sejamos uma bênção em nossas cidades e nunca deixemos de lutar pela verdade, justiça e compaixão. Isso requer engajamento político.

No entanto, como fazer isso de maneira que revele que nosso compromisso primordial não é com um partido ou uma plataforma, mas com o evangelho?

Como engajar de uma forma que mostre, em última instância, que cremos que a salvação não vem em cima de um jumento ou de um elefante, mas aninhado em uma manjedoura — e que seu partido político não é tão importante quanto o Salvador que você adora?

Como engajar mostrando que a redenção não se encontra nas estrelas da bandeira nacional, mas nas cicatrizes e feridas do Salvador?

Os quatro mitos

Descobri que existem quatro grandes mitos nos quais os cristãos tendem a acreditar no que diz respeito ao evangelho e à política. Colocar o evangelho acima de tudo significa evitar todos os quatro.

Mito 1: O evangelho não se aplica à política.

Conforme já mencionei, as liberdades de que desfrutamos como nação não são ideais isolados. Muitas surgiram à medida que os cristãos aplicaram verdades bíblicas à arena pública. Algumas são tão comumente aceitas que nos esquecemos de como eram impensáveis até os cristãos as apresentarem como ideais cívicos. Além disso, os primeiros hospitais, as primeiras faculdades e o primeiro sistema educacional foram todos construídos por cristãos. Os cristãos foram pioneiros em quase todas as "profissões de cuidado", incluindo o campo da enfermagem e da assistência social. Voltando ainda mais na história, os cristãos foram os únicos a se opor a práticas culturais aceitas, como o infanticídio e o abuso infantil, argumentando que *todas* as pessoas eram dignas de ser tratadas com respeito e honra.

Em suma, nada mais lógico e razoável do que o cristianismo dar frutos na arena pública.

E isso é algo para o qual nossa sociedade ainda precisa de nós.

Conforme observa o economista afro-americano Thomas Sowell, de Stanford, a cosmovisão cristã ensina verdades distintivas sobre a natureza do ser humano, o valor da vida, os princípios da justiça e os perigos do poder. Outras cosmovisões apresentam ideais diferentes, com visões distintas para a vida pública também. Visões diferentes levam a realidades diferentes.[2]

Até mesmo a Constituição dos Estados Unidos justifica os direitos e liberdades individuais com base não na vontade humana, mas na do Criador. Conforme já ouvi dizer: "Democracia são dois lobos e um cordeiro votando o cardápio do almoço. Liberdade é o cordeiro ter base, perante Deus, de contestar o voto".

É preciso haver algo mais que a voz da maioria.

É a voz de Deus falando por meio da criação e em sua Palavra (Sl 19).

É por isso que, quando Martin Luther King Jr. deu um passo de coragem, tinha poder para dizer que a maioria dos americanos estava errada em sua forma de tratar homens e mulheres negros, mesmo que o racismo estivesse codificado na lei. Era uma prática apoiada pela maioria dos cidadãos dos Estados Unidos. Ainda assim, o dr. King afirmou que essas leis violavam uma lei superior, a lei do Criador. E, por esse motivo, apelou aos americanos que se arrependessem.

Quando nossa sociedade nos incentiva a deixar nossas convicções cristãs de fora da arena pública, precisamos responder que não o faremos. E se gerações anteriores de cristãos tivessem feito isso, nós viveríamos em um país com bem menos liberdades.

A nova humanidade criada pelo evangelho tem desdobramentos para toda a vida, por isso precisamos aplicar o evangelho a toda a vida.

Mas devemos tomar igual cuidado para não chegar ao ponto de dizer que determinada prescrição política traz consigo a autoridade de Deus. Por exemplo, sabemos biblicamente que devemos nos importar com os pobres. Também sabemos que Deus concedeu a cada homem e mulher a dignidade e a iniciativa de prover o próprio sustento. Podemos e devemos ensinar as duas coisas. Mas avaliar de que modo

236 O EVANGELHO ACIMA DE TUDO

uma política de bem-estar social específica equilibra os dois princípios se encontra além do escopo de responsabilidade de ensino da igreja, na maioria dos casos. Trata-se de um exercício de aplicação da sabedoria, não de um ensino bíblico claro.

No púlpito, podemos e devemos apresentar ideais bíblicos com desdobramentos em políticas públicas. Nós que compomos a liderança da igreja também devemos, na maioria dos casos, nos abster de endossar determinada política ou um candidato em especial. Na maioria dos casos, lidamos com o *ideal*, que é o fundamento, não com a política, um derivado.

A Palavra de Deus nunca erra.

O que ele diz ser bom *é bom*.

O que ele declara injusto *é injusto*.

Contudo, embora as Escrituras ofereçam sabedoria aplicável a qualquer questão — econômica, familiar, educacional, ambiental etc. —, ela não fala com igual clareza sobre estratégias atuais para tratar melhor de cada questão ou promover melhor o bem-estar geral. Uma coisa é dizer que a Bíblia tem grande relevância para a política econômica, por exemplo. Outra é afirmar que a Bíblia é suficiente e exaustiva em relação às questões econômicas do mundo ocidental no século 21.

No que diz respeito a temas como o empoderamento dos pobres, as melhores estratégias para lidar com a injustiça social ou a forma mais responsável de cuidar do meio-ambiente, cristãos da mesma igreja — quem sabe até do mesmo pequeno grupo — devem ser capazes de chegar a conclusões diferentes e, ainda assim, experimentar união em Cristo.

Isso não quer dizer que todos os pontos de vista são igualmente corretos.

Muitas práticas políticas são destrutivas.

Muitas práticas políticas corrompem interesses.

Muitas práticas políticas necessitam ser expostas como antagônicas ao bem comum.

E você deve se sentir livre para expor suas convicções em relação aos temas acima. Mas não de maneira que deixe subentendida a autoridade da igreja por trás de suas palavras. Deveríamos ser capazes de discordar amigavelmente em questões políticas sem questionar a espiritualidade daqueles que enxergam as coisas de maneira diferente. Deveríamos traçar uma divisão, dentro da igreja, não entre quem é de direita ou de esquerda e suas respectivas estratégias, mas, sim, entre aqueles que se importam com a justiça, a retidão, a igualdade e a compaixão e aqueles que não se importam com tais coisas. Só porque alguém não concorda com nossa estratégia específica para a promoção do bem-estar social não significa que esse indivíduo não liga para a diminuição da pobreza.

> **Deveríamos ser capazes de discordar amigavelmente em questões políticas sem questionar a espiritualidade daqueles que enxergam as coisas de maneira diferente.**

Mito 2: Ideais secundários são questões de primeira importância.

O erro oposto a achar que o evangelho não se aplica à política é elevar ideais políticos secundários ao patamar de *primeira* importância. É assim que muitas pessoas abordam a política.

Se você não concorda comigo *nesse ponto*, não podemos permanecer em comunhão.

Na esfera prática, sentem-se mais à vontade junto daqueles que compartilham de sua inclinação política do que ao lado de irmãos de fé.

Se isso for verdadeiro a nosso respeito, então o evangelho não está acima de tudo em nosso coração. Os cristãos devem

238 O EVANGELHO ACIMA DE TUDO

sentir maior união em Cristo do que desunião nas estratégias políticas.

Um dos motivos para não nos fecharmos em nossas convicções políticas é que podemos estar errados em algumas delas. A política sempre parece *tão clara* para nós no momento! Mesmo, porém, que você seja bem informado, daqui a alguns anos provavelmente reconhecerá que alguns de seus posicionamentos mais incisivos estavam equivocados.

Certa vez, participei de uma equipe responsável por elaborar declarações públicas acerca de questões polêmicas para uma rede de igrejas. Foi em 2003, pouco depois de George W. Bush declarar guerra ao Iraque, com o apoio quase unânime do Congresso. Se você não se lembra dessa época, deixe-me dizer que *todos* eram a favor da guerra.

Republicanos *e* democratas.

Alguns membros da equipe sugeriram criarmos uma declaração pública favorável ao conflito. Sugeri que, embora eu pessoalmente fosse a favor da guerra na época, acreditando que, naquelas condições, era justificável, deveríamos evitar a associação do nome de nossa rede a isso. Por que não, em vez disso, fazer uma declaração sobre a teoria da guerra justa, comprometendo-nos a orar por nossos líderes, enquanto estes buscavam averiguar se esse era o caso, pedindo sabedoria para tal?

Disseram-me que uma declaração nesses moldes seria interpretada como anêmica e covarde. O resultado da votação foi 9 a 0 a favor do endosso à guerra do Iraque. Houve uma abstenção — de um cara conflitado demais para votar a favor, mas, ainda assim, covarde demais para se manter firme e votar contra a comissão.

Sim, esse era eu.

Hoje, mais de quinze anos depois, está claro para mim que deveríamos ter sido mais comedidos. Havia várias coisas que não sabíamos na época. Mas a justiça da guerra parecia *tão clara* para todos na época.

Esse é o problema.

Na igreja, não somos chamados para julgar detalhes pontuais de práticas políticas. E é extremamente trágico quando ligamos a autoridade e a reputação da igreja a essas coisas.

Posso estar errado ao refletir se a guerra é justa ou ao definir qual estratégia econômica é mais eficaz. Mas não estou errado quanto ao evangelho. Por isso, se falo com o mesmo nível de autoridade sobre política do que acerca das Escrituras, não devo me surpreender ao descobrir que minha plataforma evangélica diminui.

Preciso deixar claro: eu não *acho* que estou errado em relação a meus pontos de vista políticos. Se achasse, eu os mudaria (e você também, espero eu!). Mas tenho humildade suficiente para admitir que minha visão política não é livre de erros. E tenho confiança de que enxergo o evangelho com clareza.

Como costumo dizer para minha igreja, posso estar errado quanto a meu ponto de vista em relação ao aquecimento global, mas sei que não estou errado quanto ao evangelho. Não quero que minha opinião sobre o primeiro tema impeça as pessoas de ouvirem acerca do segundo. O maior problema, porém, não é se estamos certos ou errados.

O maior problema é que, mesmo quando *estamos* certos em nossa opinião sobre determinado assunto, política simplesmente não é tão importante quanto o evangelho. Como queremos ficar conhecidos em nossas igrejas — por posicionamentos políticos ou pela pregação do evangelho?

240 O EVANGELHO ACIMA DE TUDO

Não quero nem que as coisas nas quais estou *certo* impeçam as pessoas de me ouvir sobre o evangelho. Tenho uma mensagem principal: o evangelho.

E ele precisa estar acima de todo o resto.

Recebi em tempos recentes uma carta de alguém que foi a nossa igreja e confessou que havia me alvejado diversas vezes no Twitter por causa de coisas de que não havia gostado em minhas crenças. Para você ter uma ideia, a identidade dela no Twitter tinha "left" [esquerda] no nome — @LeftLinda ou algo do tipo. Começamos um diálogo e reforcei para ela o desejo de que nossa igreja seja conhecida por uma coisa: o evangelho. Discordamos em praticamente todas as pautas políticas. Mas eu lhe falei que não quero que nossa igreja esteja ligada a isso. Sempre serei claro em relação ao que a Bíblia diz, mas a política não será uma característica definidora de nossa igreja.

Alguns meses depois, recebi uma foto pelo correio.

Era Linda se batizando em nossa igreja. Ela decidiu permanecer, ouviu o evangelho dentro da alma e professou a fé em Cristo. Uniu-se a nossa igreja como uma nova irmã em Jesus.

Almocei junto com Linda e o marido, e ela me contou sobre as coisas em sua vida que estavam mudando. Reconheci naquele dia que, se posições políticas definissem nossa igreja — se nossa igreja tivesse a reputação de ser o lugar onde republicanos se reúnem e o pastor republicano insere tiradas políticas sutis sempre que tem a chance —, jamais teríamos a oportunidade de alcançar @LeftLinda com o evangelho.

Eu escolho @LeftLinda toda vez.

Continuo com minhas posições políticas e defendo os princípios por trás dela, mas faço meu melhor para manter o evangelho acima de tudo.

As igrejas devem ser lugares nos quais pessoas que discordam terminantemente em relação a questões políticas se aproximam na unidade de Cristo.

Creia você ou não, Jesus também enfrentou um drama político bem dentro de seu círculo escolhido de doze. Sabemos que dois dos discípulos de Jesus eram Simão Zelote (esquerdista?) e o publicano Mateus (direitista?). Sim, sim, eu reconheço que nosso meio político é bem diferente do deles — a história de "esquerdista" e "direitista" foi brincadeira. Mas os dois grupos tinham desavenças políticas profundamente enraizadas. Os zelotes eram judeus que achavam que o judaísmo deveria se revoltar contra Roma, expulsando toda influência romana. Os publicanos trabalhavam *para* Roma e, por isso, representavam o *status quo*. Um grupo achava que guerra contra Roma era o melhor plano de ação; o outro achava que cumplicidade com Roma era mais sábio.

Um queria resistir ao governo.

O outro *era* o governo.

Tenho certeza de que Simão e Mateus tiveram discussões políticas interessantes e incendiárias ao redor da fogueira à noite. Só consigo imaginar Jesus se divertindo enquanto observava os argumentos irem e virem. No fim das contas, porém, percebiam que seu amor por Jesus proporcionava união maior do que as questões políticas que os dividiam.

Senhor, que assim seja novamente!

Mito 3: Jamais devemos assumir uma posição política controversa.
Estamos navegando por águas cada vez mais profundas, então segure firme.

De um lado, a cosmovisão cristã apresenta ramificações de como enxergamos as coisas na vida. *Confira o mito 1.* Isso inclui, sem dúvida, qual abordagem aos governantes é mais justa e útil. Além disso, a obediência cristã requer que nos posicionemos a favor da verdade, justiça e compaixão. Por isso, quando vemos grupos em nossa sociedade sofrendo injustamente, precisamos falar.

Em contrapartida, sabemos que a igreja recebeu uma missão específica. Se nos afundarmos em questões secundárias de política, podemos acabar nos desviando da missão e silenciando nosso testemunho. *Veja o mito 2.*

Como então equilibrar a tensão entre essas duas verdades?

Preciso fazer uma advertência: se você está confiante de que conhece a resposta, meu palpite é que não está vivendo na tensão que o evangelho requer.

Com frequência, pedem-me que eu faça declarações públicas e assine várias petições políticas. Os pedidos vêm às vezes da esquerda e às vezes da direita. E as questões que os outros pedem que eu apoie mudam constantemente.

Quando é que falar sobre uma questão específica significa fidelidade ao evangelho e quando é uma distração?

Afinal, a Bíblia está cheia de advertências para o povo de Deus repreender o mal, às vezes com uma especificidade cortante. Leia os profetas e você verá Deus chamando atenção para injustiças de todos os tipos.

Contra crianças.

Contra mulheres.

Contra trabalhadores.

Contra empregadores.

Contra os excluídos, pobres e sem voz.

E contra males morais pessoais também. Os profetas jamais se cansavam de acusar Israel, por exemplo, quando o povo condescendia com a imoralidade sexual.

Os profetas anunciavam um chamado à justiça divina, mas apelos por justiça sem passos específicos para resolvê-la — como vemos hoje com frequência — pouco passam de sentimento. Homens como William Wilberforce e Martin Luther King Jr. citavam livros proféticos como Amós a fim de inspirar nossa sociedade a escolher a justiça. E (corretamente) conclamavam o governo a instituir as medidas para remediar as injustiças.

No Novo Testamento, João Batista pregava um "batismo de arrependimento", repleto de acusações específicas sobre que práticas do povo de Deus — e dos líderes locais — eram desobedientes à lei de Deus. Ele mencionava os abusos de poder realizados pelos soldados e repreendeu Herodes por se deitar com a mulher de seu irmão. Isso o levou posteriormente a ser executado. Se João estivesse por aqui em nossos dias, imagino que muitos cristãos lhe diriam para se silenciar em relação a temas de moralidade sexual.

Atenha-se ao que é espiritual, João. Pare de comentar sobre a sexualidade das pessoas!

Mas qual foi a avaliação feita por Jesus do ministério de João? "Eu lhes digo a verdade: de todos os que nasceram de mulher, nenhum é maior que João Batista" (Mt 11.11).

Com frequência, a igreja tem falhado em falar de forma direta e específica na esfera política acerca de questões referentes tanto à injustiça quanto à moralidade.

Dietrich Bonhoeffer lamentou o mesmo sobre sua igreja alemã na década de 1930. A igreja daquela geração se contentou em dizer "Discriminar é errado", declaração que o Partido Nazista permitia. Mas Bonhoeffer e a Igreja Confessante sabiam que a obediência exigia que dessem um passo a mais e sujassem as mãos, dizendo: "Precisamos nos opor aos nazistas".

244 O EVANGELHO ACIMA DE TUDO

Assim como João Batista, Bonhoeffer pagou o preço dessa oposição com a própria vida.

Em meados do século 19, muitas igrejas cristãs foram relutantes em declarar algo específico contra a escravidão, muito embora se opusessem pessoalmente à prática. Novamente, na década de 1960, muitas foram as igrejas que permaneceram em silêncio quando deveriam ter estendido a mão — e oferecido a própria voz — para o movimento de direitos civis.

Esses dois casos são motivo de vergonha para a igreja atual, e com razão.

Há, hoje, igrejas demais em silêncio a respeito da perversidade do aborto, da santidade do casamento, de desigualdades duradouras no sistema judiciário, dos males das taxas excessivas de juros e muitas outras questões.

No entanto, conforme já mencionado, falar de política com frequência (ou sem cuidado) pode nos desviar da missão e diluir nosso testemunho. O ministério de Jesus nos dá um exemplo útil de como navegar em meio a essa tensão.

Em Lucas 12.13-14, fizeram uma pergunta específica sobre justiça social a Jesus: "Mestre, por favor, diga a meu irmão que divida comigo a herança de meu pai!". Mas Jesus se recusou a julgar, dizendo: "Amigo, quem me pôs como juiz sobre vocês para decidir essas coisas?".

Em vez disso, pregou um sermão sobre o perigo da ganância para ambos (Lc 12.15-21).

Não é que Jesus não se importasse com a justiça desse caso ou que não fosse capaz de dar um conselho sábio. Tenho certeza de que seu julgamento seria impecável! Sem dúvida, Jesus sabia que o envolvimento nos detalhes *daquele* caso o afastaria de sua missão principal de pregar o evangelho. Logo haveria uma fila de pessoas esperando para que ele ponderasse sobre

O EVANGELHO ACIMA DA MINHA POLÍTICA **245**

o mérito de suas causas pessoais, e então ele não teria mais condições de fazer aquilo que trouxera ao mundo: buscar e salvar os perdidos.

Pense nisso. Se Jesus começasse a julgar casos individuais, seu público não começaria a se dividir entre "os que concordavam com os julgamentos" e "os que discordavam"? Jesus não queria as pessoas divididas por causa disso. Queria que elas se dividissem dele, ou se unissem a ele, por causa do evangelho.

Ao longo de seu ministério, Jesus demonstrou comedimento extraordinário para não se envolver em causas políticas e sociais. Depois de alimentar os cinco mil com cinco pães e dois peixes, por exemplo, as pessoas queriam transformá-lo em rei político. Se esse cara consegue fazer isso com cinco pães e dois peixinhos, imagine o que faria com o mercado de ações! Tão logo Jesus percebeu essa intenção, fugiu e se escondeu nas montanhas. Voltou depois de um tempo *pregando o evangelho* (Jo 6.15,22-28). Até mesmo o fim da fome mundial era secundário em relação à pregação do evangelho.

Encontramos a mesma moderação no ministério dos apóstolos. Paulo, por exemplo, passava relativamente pouco tempo arbitrando os diversos males sociais que assolavam o império romano — e havia muitos! Em vez disso, concentrava-se em espalhar o evangelho e plantar igrejas. Em suas cartas às congregações, não costumava apelar aos cristãos em relação a questões particulares de militância política. Em vez disso, opunha-se a problemas cruciais de discriminação, injustiça e hierarquia social insustentável, injetando nas igrejas as sementes que, em última instância, desfariam aqueles males na sociedade.

Sem dúvida, os princípios das cartas de Paulo podem ser aplicados à esfera pública. Mas essa é a questão. Paulo ensinava às igrejas os princípios do reino nas epístolas, mas não fazia a aplicação desses princípios na arena pública. Deixava cada cristão fazer isso na esfera pessoal, sem vincular sua autoridade apostólica ou a reputação da igreja a esses esforços.

Quanto mais reflito a respeito disso, mais útil tem sido reconhecer que a igreja existe no mundo tanto como *organismo* quanto como *organização*.

Como organismo, os cristãos devem permear cada parte da sociedade, levando sabedoria moldada pelas Escrituras e banhada no evangelho por onde passam. Queremos cristãos influenciando a economia, a educação, a saúde, o bem-estar social, o cuidado com o meio-ambiente, as políticas tributárias, o comércio e tudo o mais. É isso que significa um cristão ser luz e sal ao mundo.

Então, permita-me ser claro (caso não tenha sido até aqui): queremos ver os cristãos em nossas igrejas *mais* envolvidos no processo político, não *menos*.

Aliás, minha esperança é que muitos cristãos se sintam tão apaixonados pelo engajamento político que o considerem um chamado. Há alguns anos, alguém me desafiou a fazer uma lista de "pedidos de oração dos sonhos" — coisas imensas e audaciosas para pedir a Deus que realizasse por meu intermédio antes de morrer. Uma das coisas que escrevi foi que Deus levantasse um juiz da Suprema Corte da nossa congregação. É um pedido grande, eu sei. Meu objetivo ao dividir isso com você é mostrar que não estou defendendo que os cristãos saiam da política.

Como organização, porém, a igreja precisa estreitar seu envolvimento coletivo nessas esferas. A igreja corporativa — a igreja institucional — é chamada a ensinar a Palavra de Deus e fazer discípulos. Quanto mais nos vinculamos organizacionalmente a programas econômicos, reformas na arte, iniciativas educacionais, avanços da medicina ou agendas políticas específicas, mais diluídos ficamos em nossa missão. Coisas boas nos afastam da *única* coisa que é primordial. Em outras palavras, quero que a igreja se torne, ao mesmo tempo, mais *e* menos envolvida na política. Como organismo, mais; como organização, menos.

É impossível superestimar a importância de nos lembrarmos que a igreja é o *único* corpo que Jesus deixou para multiplicar discípulos no mundo.

Pense nisso da seguinte maneira:

Se você é paramédico e chega ao local onde ocorreu um terremoto, não estará servindo bem os outros se arregaçar as mangas e começar a limpar os destroços ou ajudar uma garotinha chorando a encontrar seu cãozinho perdido. Tudo isso é importante, mas por ser um dos únicos capacitados em cuidados emergenciais, você precisa se concentrar nisso. É por isso que foi chamado ali.

É assim que a igreja deve pensar acerca de sua comissão de pregar o evangelho. Das milhares de iniciativas boas nas quais a igreja pode se engajar, nenhuma é tão única quanto a Grande Comissão. Conforme diz Christopher Wright, Deus não tem um conjunto de missões para sua igreja; em vez disso, ele formou uma igreja para sua missão.[3] Jesus resumiu nossa parte nessa missão em Mateus 28.18-20: façam discípulos. Essa missão sempre deve permanecer em primeiro plano.

Não estou defendendo que separemos nossa pregação do evangelho da prática de boas obras e do amor ao próximo. Creio que deixei isso claro em um capítulo anterior. Mas proponho que a igreja institucional mantenha o foco na única coisa que Jesus ordenou que fizéssemos: discípulos.

248 O EVANGELHO ACIMA DE TUDO

Sempre que ligo o noticiário, parece — desde os últimos minutos que passei sem ver — que o mundo implodiu. Os especialistas estão enlouquecendo diante de alguma decisão do Congresso, alguma declaração do presidente, algum veredito da Suprema Corte, alguma absolvição dada por um júri, algum programa municipal desenvolvido por um prefeito, algum artigo no *New York Times*. As redes sociais explodem à medida que cada um sinaliza seu posicionamento sobre a questão e por que qualquer um digno do título "ser humano" deveria concordar com ele. E então começo a receber *tweets* e *e-mails* exigindo que eu escolha um lado publicamente.

Muitas vezes, enquanto analiso o assunto, percebo os desdobramentos morais envolvidos. E sei que os temas são importantes.

Falar ou não falar? Eis a questão!

Em nossa era de redes de notícias 24 horas por dia, que sustentam seus lucros com base no sensacionalismo e no ultraje, o cenário acima parece acontecer no mínimo uma vez por semana.

Talvez você não receba tantos pedidos *diretos* para fazer declarações públicas, mas tenho certeza de que sente a mesma pressão de "se posicionar" no momento certo, em prol das causas certas. Contudo, não tem certeza de como fazer isso com sabedoria, graça e foco no evangelho.

Nossa equipe de liderança chegou à conclusão de que duas perguntas diagnósticas podem ter valor extraordinário para nos ajudar a tomar uma decisão:

Primeiro, os fatos são tão claros e as obrigações morais são tão óbvias que os cristãos não podem de maneira nenhuma discordar de boa-fé?

Com frequência, não conseguimos traçar uma linha clara entre uma ordem bíblica e a prescrição de determinada

O EVANGELHO ACIMA DA MINHA POLÍTICA **249**

política. Por exemplo, conforme já afirmei, sabemos que a igreja tem a obrigação moral de defender o cuidado dos pobres. Isso é claro. No entanto, conservadores e progressistas diferem no jeito de pensar sobre como nossa sociedade pode fazer isso da melhor forma. Também ensinamos que nosso governo tem a responsabilidade de proteger seus cidadãos. E ensinamos que nós temos a obrigação de ser misericordiosos com quem passa necessidade, incluindo imigrantes e refugiados. Mas está além do escopo da comissão da igreja, por exemplo, ditar quantos refugiados nossa nação deve receber por ano ou as melhores práticas de defesa de nossas fronteiras.

Conforme já expliquei em nossa igreja, nós ensinamos as obrigações morais, mas temos o hábito de nos abster de divinizar estratégias específicas, a menos que seja possível fazer uma ligação direta entre um texto bíblico e a política pública. É claro que eu tenho opiniões pessoais sobre que estratégias são mais eficazes do que outras, e espero que você também as tenha. Mas confundo a questão quando sugiro que a única forma de cuidar dos pobres é o método político que eu endosso na esfera pessoal.

O pastor Matt Chandler usa uma analogia útil nessa situação. Ele compara nossa preocupação com os pobres a uma casa. Todos devemos concordar com os fundamentos bíblicos em relação ao cuidado dos pobres: justiça e compaixão. Também devemos concordar com as paredes que estruturam nossa casa: defesa e ativismo. Mas podemos discordar em relação aos "móveis das políticas públicas" que devem entrar na casa. Nós, que integramos a liderança cristã, não somos tipicamente chamados ou competentes para falar à parte dos móveis. Precisamos abrir espaço para as pessoas interpretarem e aplicarem o evangelho, em vez de colocar a autoridade da igreja por trás de políticas específicas.[4]

A casa continuará de pé por gerações, mas os móveis mudam de uma geração para a outra.

É melhor não atrelar sua reputação a um sofá-cama feio.

Há uma diferença tremenda entre crer que nosso ponto de vista é correto e ter certeza de que nosso posicionamento é o único permitido pela Bíblia. Na função de pastor ou de presidente da Convenção Batista do Sul, preciso demonstrar comedimento ainda maior. Quando defendo abertamente determinada política pública, as pessoas não ouvem assim: "Eu acredito pessoalmente que essa política é a mais sábia". Em vez disso, o que escutam é: "Isto é o que declaro ser a posição cristã e, se você discordar, estará desalinhado com a igreja", mesmo que eu não esteja falando isso.

E, é claro, pode *não* haver espaço para discordar em determinado tema. Nós podemos e devemos advogar por políticas *específicas* que preservem a santidade da vida, a liberdade religiosa, a santidade do lar e proteções iguais pela lei. Na maioria dos casos, porém, precisamos ter certeza de que existe uma ligação *direta* com as Escrituras antes de falar qualquer coisa sobre uma política pública específica. Se cristãos fiéis à Bíblia podem defender o outro ponto de vista em uma questão política, provavelmente é melhor não apertar esse gatilho.

Em segundo lugar, o assunto tem importância suficiente para requerer um testemunho público nosso como organização?

Mesmo que a moralidade de determinado assunto esteja clara, às vezes o endosso a um ponto de vista nos prende em uma região alheia a nosso chamado e experiência institucional. Jesus deixou de dar uma opinião, em Lucas 12, ao irmão que se sentia defraudado não porque as coisas não estavam

O EVANGELHO ACIMA DA MINHA POLÍTICA **251**

claras para ele. Jesus o fez porque julgar o caso era algo alheio ao escopo de sua comissão.

Em outras ocasiões, porém, a falha em falar como organização mancha o testemunho da igreja.

Não existe um manual claro que possamos usar para descobrir quando falar sobre determinado assunto é necessário para nosso testemunho e quando é um obstáculo. É importante compreender o momento em que se vive, depender da orientação do Espírito e estar dispostos a mudar de rumo quando percebermos que a defesa da causa (ou a ausência de defesa) não está ajudando.

O autor de 1Crônicas elogiou os filhos de Issacar, pois "eles entendiam bem os acontecimentos daquele tempo e sabiam qual era o melhor caminho para Israel seguir" (1Cr 12.32). Isso significa que eles discerniam, nas questões da época, os desdobramentos mais amplos do que acontecia na sociedade. É possível que, depois de orar, reconheçamos um perigo iminente em uma tendência social ou governamental e nos sintamos compelidos a falar.

Mas talvez reconheçamos que, ao ser chamados a nos posicionar, estamos sendo usados por um lado da guerra cultural como ferramenta para bater no outro lado e, assim, escolhemos o silêncio. Isso acontece muito comigo. Tanto para a esquerda quanto para a direita, a igreja não passa de uma ferramenta útil para a realização de seus propósitos.

A igreja não deve ser ferramenta de ninguém.

As ferramentas logo são descartadas e tratadas como tolas.

A igreja evangélica errou ao cruzar os braços durante o movimento de direitos civis, dizendo que era uma questão política, não do evangelho. O compromisso contínuo com os direitos civis exige um apoio semelhante para mudanças

252 O EVANGELHO ACIMA DE TUDO

no sistema judicial contemporâneo, nas verbas destinadas à educação e nos distritos eleitorais? Às vezes sim. Às vezes, porém, o envolvimento profundo demais nesses debates (como organização) nos onera com particularidades que vão além de nosso chamado.

A defesa da santidade do casamento significa o apoio a leis que legitimem somente uniões heterossexuais? A proclamação dos desígnios divinos para os gêneros significa a defesa de projetos de leis que regulamentem o uso dos banheiros públicos somente por pessoas daquele gênero ao nascer? A defesa da santidade da vida significa o endosso a leis que tornem o aborto ilegal em todas as circunstâncias? A crença de que Deus dá aos seres humanos a dignidade e a responsabilidade de se sustentar requer um envolvimento limitado do governo na economia? A crença de que o poder tende a corromper leva à defesa de um governo mais enxuto, com bastante transparência e prestação de contas?

Para algumas dessas perguntas, eu responderia sim com toda certeza.

Todavia, para outras, a resposta nem sempre é tão clara.

Se falharmos em falar nos momentos nos quais devemos nos pronunciar, outros serão prejudicados com nosso silêncio. No entanto, se falarmos no momento certo e da maneira certa, poderemos salvar vidas e promover o bem do próximo.

Há alguns meses, um casal entrou em meu escritório de supetão para me contar uma coisa.

A mulher me confidenciou: "Há um ano, você pregou sobre o valor de toda vida humana. E realmente denunciou o mal do aborto eletivo. Uma moça que ouviu seu sermão tinha uma consulta marcada em uma clínica de abortos naquele mesmo dia. Após ouvir a pregação, porém, decidiu escolher a vida. Entregou a bebezinha dela para adoção, e nós somos a família que a adotou. Achamos que você gostaria de conhecer a menininha cuja vida foi salva por suas palavras corajosas!".

Segurei nos braços um bebê salvo por ligar os pontos entre um princípio bíblico e uma questão política.

Não há como me arrepender!

Mito 4: Enxergamos tudo com clareza.

Grandes cristãos podem estar errados.

Quando jovem, era difícil para mim aceitar isso. Pode ser embaraçoso voltar a ler sobre alguns de meus heróis ingleses da teologia e descobrir que eles defenderam o imperialismo usando a Bíblia, ou sobre alguns pastores americanos que permaneceram em silêncio acerca da discriminação — ou, pior ainda, aceitaram uma base "bíblica" para a hierarquia das raças e da escravidão humana. Ou descobrir que Martinho Lutero disse coisas terríveis acerca dos judeus em sua velhice.

> Creio que o elemento mais importante a ser extraído dos erros de nossos heróis do passado é uma postura de humildade no presente.

Mas isso não deveria nos causar surpresa. Cada um de nós é mais profundamente moldado por nossa cultura do que provavelmente reconheçamos.

A propósito, permita-me divagar rapidamente. Esse é um dos motivos para lermos bastante e ouvirmos sobre diferentes culturas, perspectivas e períodos. Cada cultura tem pontos cegos e deficiências, é claro, mas tendem a ser pontos cegos e deficiências *diferentes*. Ler bastante permite que pensadores de outras culturas destaquem de que maneiras temos tropeçado junto com a cultura sem nem perceber.

Creio que o elemento mais importante a ser extraído dos erros de nossos heróis do passado é uma postura de humildade no presente. Em vez de balançar a cabeça absolutamente pasmos ("Como eles conseguiam ser tão retrógrados? Graças a Deus somos sofisticados e não agimos assim!"), deveríamos dizer: "Se até mesmo esses grandes heróis da fé estavam errados em algumas coisas, eu seria tolo se pensasse que consigo acertar em tudo". Se a sinceridade deles não foi suficiente para isentá-los de erros, como garantir que a nossa será?

Você acha mesmo que nossos bisnetos olharão para trás e nos admirarão pelo avanço de nossos pensamentos, achando que acertamos em tudo?

Aposto que não.

Eles provavelmente observarão o passado e se perguntarão como podíamos ser tão cegos em relação a determinado assunto.

No entanto, minhas opiniões parecem tão certas e óbvias para mim agora!

Faremos bem em nos preparar para esse momento de humildade sendo humildes desde já.

Isso não significa que devemos deixar de aplicar a sabedoria do evangelho à política ou que devemos nos abster de desenvolver convicções firmes. Somos responsáveis por estudar as Escrituras com afinco, orar pedindo sabedoria e aplicá-la da melhor maneira que conseguirmos. Nosso ativismo pode fazer grande diferença na preservação da justiça e promoção da vida. Mas enquanto buscamos trilhar o caminho da sabedoria evangélica, precisamos demonstrar comedimento e permitir correção e redirecionamento.

É bem provável que as pessoas de direita tenham algo a aprender com as de esquerda.

E que as pessoas de esquerda também tenham algo a aprender com as de direita.

E não estou me referindo a "aprender" o quanto *aquela gente* é burra e "graças a Deus eu não sou assim". Legitimamente, quero dizer que podemos aprender mais sobre como aplicar o evangelho à política. Nem a direita, nem a esquerda enxergam tudo com clareza. Isso não significa que ambos os lados estão igualmente corretos. Apenas que, juntos, podemos estudar as Escrituras e aplicar o evangelho *melhor* à medida que aprendemos uns com os outros.

No que se refere a cuidado dos pobres, reconciliação racial, respeito pela vida, liberdade, liberdade religiosa e dignidade para todos, o divisor de águas não deve recair entre direita e esquerda, como se a assistência à pobreza fosse uma preocupação de apenas um lado do espectro político. O divisor de águas dentro da igreja é entre quem se importa em ver os pobres empoderados e está fazendo algo para que isso aconteça e aqueles que não ligam.

Uma igreja unida em um mundo dividido

Nossa principal tarefa, como cristãos, não é transformar as estruturas políticas.

Nossa principal tarefa é fazer discípulos de todas as nações.

Devemos proclamar valores bíblicos e defender a justiça para todos. Precisamos cuidar dos pobres. No entanto, assim como os apóstolos e como Jesus antes deles, devemos demonstrar moderação na especificidade de nosso ativismo na maioria das questões. Nossa missão evangélica é importante demais. Ela precisa permanecer acima de tudo. Assim, nos casos em que a Bíblia não estabelece uma conexão direta com a política, é fundamental revelar cautela e comedimento ao fazê-lo também.

Somente os cristãos receberam a ordem de convidar homens e mulheres a aceitar o evangelho. Jesus não instruiu a fazer manifestações em Roma, mas a levar o evangelho para Jerusalém, Judeia, Samaria e os confins da terra. Deus nos livre se nossas paixões políticas entrarem no caminho e atrapalharem essa comissão suprema.

Necessitamos de uma geração de líderes cristãos que não abdiquem do chamado de Deus devido a seduções políticas; de indivíduos que creiam, assim como Charles Spurgeon, que aceitar o papel de rei da Inglaterra seria uma demoção em nosso chamado.

Nosso tempo carece desesperadamente de uma geração de líderes com coragem para se posicionar quando necessário e com humildade para ouvir outros cristãos que entendem as diversas questões políticas de maneira diferente.

Pouco depois de aceitar o chamado para o ministério, tive a oportunidade de me reunir com um senador famoso que sempre fora uma espécie de herói político para mim e minha família. Ele já tinha oitenta e poucos anos e estava engajado na política havia décadas. Contei-lhe que eu havia pensado muito em entrar para a política, mas que Deus havia me chamado para o ministério.

"Ah, filho", disse ele, "você fez a escolha certa. Pregar o evangelho para a próxima geração é muito mais importante do que qualquer coisa que eu já tenha realizado no Capitólio!"

Deus chama algumas pessoas para a política e precisamos ser gratos por elas.

Devemos orar por elas.

Devemos nos engajar para que elas liderem com justiça, compaixão e sabedoria.

Mas jamais desviemos os olhos de nossa primeira comissão: pregar o evangelho.

Se deixarmos o evangelho reinar acima da política, poderemos mostrar para nossa sociedade algo que ela anseia desesperadamente ver: um grupo de homens e mulheres que permanece unido mesmo em meio a perspectivas políticas divergentes.

Isso só acontecerá quando entendermos que aquilo que nos une é maior, melhor, mais excelente e superior do que tudo que nos divide. Se a igreja em nossa geração *conseguir* demonstrar uma unidade no evangelho que supere até mesmo nossas divisões políticas, brilharemos com uma luz que encantará genuinamente todos ao nosso redor.

E, pela graça de Deus, atrairemos muitos à fé em Jesus.

CONCLUSÃO
A vitória do evangelho

....

Apesar das tristezas, perdas e dores, nosso caminho
continua adiante; semeamos na estéril planície de Burma
e colhemos no monte Sião.

ADONIRAM JUDSON

Imagine que você está criando seu perfil no Fakeblock, a nova rede social que está agitando o país inteiro, quando a seguinte pergunta aparece:

Qual é a coisa MAIS *importante a seu respeito?*

O que surge em sua mente como primeira reação a essa pergunta? Qual é a coisa mais responsável por levar você ao local em que você se encontra ou aquilo que causou o maior impacto em moldar seu futuro? Qual é o fato que, se as pessoas souberem a seu respeito, explicará melhor sua forma de abordar a vida?

A faculdade na qual você se formou?

Quantos filhos você tem?

Seu patrimônio líquido?

Sua aparência?

Sua virtude atlética?

Aquilo que o teólogo A. W. Tozer disse ser o mais importante a seu respeito pode nem estar no seu *top* dez.

Tozer disse: "O que vem à nossa mente quando pensamos em Deus é o mais importante a nosso respeito".[1]

Provavelmente foi por isso que, ao se aproximar do fim de seu ministério, Jesus tenha perguntado a seus discípulos especificamente o que pensavam sobre ele.

Pedro respondeu: "Tu és o Cristo, o Filho do Deus vivo".

"Então, Jesus lhe afirmou: Bem-aventurado é você, Simão Barjonas, porque não foi carne e sangue que revelaram isso a você, mas meu Pai, que está nos céus. Também eu lhe digo que você é Pedro, e sobre esta pedra edificarei a minha igreja, e as portas do inferno não prevalecerão contra ela" (Mt 16.16-18, NAA).

Tradução: se entendermos bem a identidade de Jesus, no profundo de nosso ser, nem mesmo as portas do inferno serão capazes de nos deter.

A qualidade de nosso ministério está diretamente ligada à precisão de nossa imagem de Jesus.

Às vezes, achamos que "as portas do inferno não prevalecerão contra ela" significa apenas que Jesus nos protegerá de todos os ataques terríveis de Satanás. Mas esse verso fala sobre a incapacidade do inimigo de impedir nossas incursões ao reino dele, não da incapacidade dele de atacar o nosso.

Pense nisto: "portas" seria uma arma de *ataque*?

Qual foi a última vez que você atacou alguém com uma porta? Dá para fazer isso? Bater na cabeça de alguém com uma porta?

As portas são armas de *defesa*, destinadas a manter os intrusos do lado de fora. Jesus está dizendo que, se o confessarmos fielmente, não só ele protegerá a igreja, como também permitirá que avancemos o reino de Deus para dentro das fortalezas mais impenetráveis de Satanás.

Em outras palavras, *se professarmos a fé sem vacilar, nada poderá nos deter.*

CONCLUSÃO **261**

A batalha está sendo travada — pela alma de nossos filhos, nossos vizinhos, nossa nação e nosso mundo. Ouvimos notícias da linha de frente de vitórias e derrotas, avanços e retiradas.

Em tal igreja, batizaram trezentas pessoas este ano!

Mas em tal estado, precisaram fechar quinhentas igrejas.

Ano passado, foi doado mais dinheiro para a causa missionária cristã do que em qualquer ano anterior, mesmo se forem feitos os ajustes da inflação.

Nenhuma denominação evangélica de tamanho considerável tem conseguido acompanhar o ritmo do crescimento populacional. A maioria está encolhendo.

Olhando o mapa, pode ficar difícil entender para onde a batalha se encaminha.

Até nos lembrarmos de que a guerra já foi vencida.

Jesus nunca prometeu que protegeria a retaguarda dos cristãos, enquanto estes fazem uma lenta retirada para a obscuridade. Jamais nos instruiu a orar: "Pai, protege nossas famílias enquanto a sociedade descamba para o caos".

Em vez disso, prometeu que, se formos fiéis em nossa confissão, ele nos levará cada vez mais para dentro do território inimigo. Nenhuma arma forjada contra nós prosperará. Todos aqueles que se levantarem contra nós cairão. A vitória só *parece* incerta. Mas as fortalezas de Satanás foram eternamente esfaceladas no Calvário.

Então agora lutamos *a partir da* vitória, não *para* alcançá-la.

Isso me faz lembrar uma história de Abraham Lincoln.

Quando o exército da União fez os confederados recuarem para Richmond, um dos generais de Lincoln entrou energicamente em sua sala de conferências e disse:

— Presidente Lincoln, tenho a grata satisfação de lhe

262 O EVANGELHO ACIMA DE TUDO

informar que finalmente tiramos o inimigo de nosso território e o fizemos se retirar para a terra dele.

Lincoln disse para os outros generais na sala:

— Quando meus generais aprenderão que o país inteiro é nosso território?

Jesus não se contenta em ser Senhor da igreja.

Ele morreu para ser Senhor de toda a terra.

Se professarmos a fé sem vacilar, nada poderá nos deter.

Há ainda quatro mil povos não alcançados que jamais ouviram o testemunho cristão.

Existem comunidades de refugiados espalhadas por todo o mundo.

Há populações de prisioneiros que necessitam ouvir o testemunho do evangelho.

Há crianças à procura de um lar que as acolha.

Há mães solteiras que precisam de uma comunidade.

Há homens e mulheres desabrigados que necessitam de abrigo.

Alguns de seus amigos precisam de Jesus.

Somos suficientes para a tarefa? Assim como Ezequiel, espantados diante do vale de ossos secos, confessamos nossa completa e total incapacidade para a tarefa. Mas sabemos que o Espírito de Deus pode fazer por nosso intermédio tudo aquilo que determinou. Sabemos que Deus inspira vida em nossa obra. Sabemos que presenciaremos uma ressurreição espiritual.

Ele promete levar vida a almas mortas.

Ele promete que sua Palavra não voltará vazia.

Tome cuidado. Deus só abençoa quem prossegue confiante, não quem se retrai com medo. A igreja não é formada por "aqueles que se afastam para sua própria destruição.

CONCLUSÃO **263**

Somos pessoas de fé" (Hb 10.39). Aqueles que recuaram nos dias de Josué foram destruídos. E o mesmo acontecerá com quem recuar hoje.

Só há um caminho para a igreja ter êxito:

Prosseguindo destemidamente.

Por isso, em vez de assumir uma postura defensiva e intimidada em relação ao mundo, tentando nos apegar ao que temos e proteger isso do inimigo, precisamos voltar para a ofensiva. É hora de queimar os navios e enviar fiéis para sitiar as portas do inferno.

Sem o poder do evangelho, as portas jamais se mexerão.

Com o poder do evangelho, são tão instáveis quanto um lenço de papel.

Por isso, diga comigo: *Eu confesso que...*

Jesus é Senhor de toda a terra, o Rei dos reis e Senhor dos senhores.

Ele é o Messias, o Cristo, o Filho do Deus vivo, o único caminho de salvação para todos os povos, o único nome debaixo do céu perante o qual os seres humanos podem se salvar.

Todo aquele que invocar o nome do Senhor será salvo.

Não há diferença entre judeu e grego, negro e branco, rico e pobre, esquerdista ou direitista. Desde o princípio dos tempos, existe apenas uma raça humana — pecadores — e um só Salvador, Jesus.

O mesmo Deus é Senhor de todos, derramando suas riquezas sobre todo aquele que o invocar. Não quer que ninguém pereça, mas, sim, que todos cheguem ao arrependimento.

Confesso essas coisas porque a Bíblia autorizada por Jesus as ensina e creio que toda Escritura foi dada por Deus. Quer essa confissão evangélica seja popular, quer não, ela é o poder de Deus — e essa é a última coisa que eu gostaria de perder.

Se professarmos a fé sem vacilar, nada poderá nos deter.

E por causa da promessa que Jesus coloca nessa confissão, jamais ficaremos satisfeitos com tanta perdição em nossa comunidade e no mundo.

O país inteiro é território dele!

As pessoas me perguntam: "Mas já não existem igrejas demais? Quando os cristãos vão parar de tentar plantar cada vez mais igrejas?".

Quando Jesus voltar ou quando a última pessoa no planeta for salva.

Essa é minha resposta.

O inferno não descansa.

Nem eu.

Jesus não terminou sua obra.

Nem nós.

Notas

....

Capítulo 1

[1] Timothy Keller, *The Prodigal God* (New York: Penguin, 2011), p. 128. [No Brasil, *O Deus pródigo*, 2ª ed. São Paulo: Vida Nova, 2018.]

Capítulo 2

[1] World Watch Monitor, "China Bans Zion, Beijing's Biggest House Church", *Christianity Today*, 10 de setembro de 2018, <https://www.christianitytoday.com/news/2018/september/china-bans-zion-beijing-house-church-surveillance-ezra-jin.html>.

[2] Nathan Cole. "Spiritual Travels", *William and Mary Quarterly 7* (1950), p. 591.

[3] Iain Murray, ed. *C. H. Spurgeon Autobiography: The Early Years 1834–1859* (London: Banner of Truth, 1962), p. 87-90.

Capítulo 3

[1] Robert Coleman, *The Master Plan of Evangelism* (Grand Rapids: Revell, 2010), p. 104. [No Brasil, *Plano mestre de evangelismo*, 2ª ed. São Paulo: Mundo Cristão, 2006.]

[2] "Study: Churchgoers Believe in Sharing Faith, Most Never Do", LifeWay Research, 2 de janeiro de 2014, <https://lifewayresearch.com/2014/01/02/study-churchgoers-believe-in-sharing-faith-most-never-do>.

[3] Rosaria Butterfield. *The Gospel Comes with a House Key: Practicing Radically Ordinary Hospitality in Our Post-Christian World* (Wheaton: Crossway, 2018), p. 63. [No Brasil, *O evangelho e as chaves de casa: Praticando uma hospitalidade radicalmente simples em um mundo pós-cristão*. Brasília, DF: Monergismo, 2020.]

[4] Tim Keller, *Generous Justice: How God's Grace Makes Us Just* (New York: Penguin, 2012). [No Brasil, *Justiça generosa: A graça de Deus e a justiça social*. São Paulo: Vida Nova, 2013.]

[5] Alan Noble. *Disruptive Witness: Speaking Truth in a Distracted Age* (Downers Grove, IL: InterVarsity Press, 2018), p. 2.

266 O EVANGELHO ACIMA DE TUDO

⁶ Ben Sasse, *Them: Why We Hate Each Other—and How to Heal* (New York: St. Martin's Press, 2018), p. 185.

⁷ Noble, *Disruptive Witness*, p. 2.

⁸ Justin Taylor, "How Much Do You Have to Hate Somebody to Not Proselytize?", The Gospel Coalition, 18 de novembro de 2009, <https://www.thegospelcoalition.org/blogs/justin-taylor/how-much-do-you-have-to-hate-somebody-to-not-proselytize>.

⁹ *NIV Zondervan Study Bible, e-book: Built on the Truth of Scripture and Centered on the Gospel Message* (Grand Rapids: Zondervan, 2015), edição para Kindle, 269835-269838.

Capítulo 4

¹ Stephen Neill, *A History of Christian Missions* (Harmondsworth, UK: Penguin, 1986), p. 22. [No Brasil, *História das missões*. São Paulo: Vida Nova, 1989.]

² Leonard Lyons, *Washington Post, Loose-Leaf Notebook*, 30 de janeiro de 1947, Washington, D.C., p. 9.

³ Rodney Stark, *The Rise of Christianity: How the Obscure, Marginal Jesus Movement Became the Dominant Religious Force in the Western World in a Few Centuries* (San Francisco: Harper Collins, 1997), p. 3. [No Brasil, *O crescimento do cristianismo: Um sociólogo reconsidera a história*. São Paulo: Paulinas, 2006.]

Capítulo 5

¹ Sean T. Collins, "Carrie Fisher's 10 Greatest 'Star Wars' Moments", *Rolling Stone*, 27 de dezembro de 2016, <https://www.rollingstone.com/movies/movie-lists/carrie-fishers-10-greatest-star-wars-moments-129243/>.

² D. Martyn Lloyd-Jones, "Revival: An Historical and Theological Survey", em: *The Puritans: Their Origins and Successors; Addresses Delivered at the Puritan and Westminster Conferences 1959–1978* (Carlisle, PA: Banner of Truth Trust, 1987), p. 18. [No Brasil, *Os puritanos: Suas origens e seus sucessores*. São Paulo: PES, 2016.]

³ Idem.

⁴ Idem.

⁵ Jonathan Edwards, *Edwards on Revivals: Containing a Faithful Narrative of the Surprising Work of God* (New York: Dunning & Spalding, 1832), p. 48.

⁶ Tim Keller, "Revival: The Need for Gospel Renewal", 19 de dezembro de 2014, <https://www.faithgateway.com/need-gospel-renewal/#.YUI8145KiUk>.

NOTAS **267**

[7] The Daily Wire, "John MacArthur/The Ben Shapiro Show Sunday Special Ep. 29", video no YouTube, 1:09, 2 de dezembro de 2008, <https://www.youtube.com/watch?v=F-ofKxfYqGw>.

[8] Ben Sasse, *Them: Why We Hate Each Other—and How to Heal* (New York: St. Martin's Press, 2018), p. 93.

Capítulo 6

[1] Raymond C. Ortlund. *The Gospel: How the Church Portrays the Beauty of Christ* (Wheaton, IL: Crossway, 2014), p. 17. [No Brasil, *O evangelho: Como a igreja reflete a beleza de Cristo*. São Paulo: Vida Nova, 2016.]

[2] Idem, p. 21.

[3] Mark Dever, *The Church: The Gospel Made Visible* (Nashville, TN: B&H Academic, 2012). [No Brasil, *Igreja: O evangelho visível*. São Paulo: Vida Nova, 2015.]

[4] "Big Drift", sermão pregado por Andy Stanley na North Point Community Church, 2011, <https://open.life.church/items/164645-message-mp3>.

[5] Mindy Kaling, *Is Everyone Hanging Out without Me? (and Other Concerns)* (London: Ebury Press, 2013), p. 116. [No Brasil, *Todo mundo foi convidado, menos eu? (e outras situações)*. Porto Alegre: Citadel, 2019.]

[6] Abraham Lincolm, Quotes, <www.goodreads.com/quotes/163531-no-man-who-is-resolved-to-make-the-most-of>.

[7] Martin Luther King Jr., "Letter from a Birmingham Jail", em: *Paul Murray. Milestone Documents in African American History* (Amenia, NY: Salem Press, 2017).

Capítulo 7

[1] Enquanto escrevo isso, um representante do estado de Iowa foi parar nas manchetes por questionar o que há de tão errado com expressões do tipo "nacionalismo branco" ou "supremacia branca".

[2] Joe Helm, "Recounting a Day of Rage, Hate, Violence and Death", *Washington Post*, 14 de agosto de 2017, <https://www.washingtonpost.com/graphics/2017/local/charlottesville-timeline/>.

[3] Campbell Robertson, "A Quiet Exodus: Why Black Worshippers Are Leaving White Evangelical Churches", *New York Times*, 9 de março de 2018, <https://www.nytimes.com/2018/03/09/us/blacks-evangelical-churches.html>.

[4] M. Scott Peck, *The Road Less Traveled: A New Psychology of Love, Traditional Values, and Spiritual Growth* (New York: Touchstone, 2002), p. 120-130. [No

268 O EVANGELHO ACIMA DE TUDO

Brasil, *A trilha menos percorrida: Uma nova visão da psicologia sobre o amor, os valores tradicionais e o crescimento espiritual*. Rio de Janeiro: BestSeller, 2004.]

[5] Albert R. Mohler Jr., "Conceived in Sin, Called by the Gospel: The Root Cause of the Stain of Racism in the Southern Baptist Convention", em: Kevin M. Jones e Jarvis J. Williams. *Removing the Stain of Racism from the Southern Baptist Convention: Diverse African American and White Perspectives* (Nashville, TN: B&H Academic, 2017).

[6] Martin Luther King Jr., "Letter from a Birmingham Jail".

[7] O autor ouviu isso pessoalmente do dr. Yancey.

[8] Alan Cross, "Vance Pitman Podcast Interview: Church for the City and the Nations among Us", *SBC Voices* (áudio blog), 14 de fevereiro de 2017, <https://sbcvoices.com/vance-pitman-podcast-church-for-the-city-and-the-nations-among-us>.

Capítulo 8

[1] G. K. Chesterton, *The Thing* (London: Sheed & Ward, 1957). [No Brasil, *A coisa: Por que sou católico?* São Paulo: Oratório, 2016.]

Capítulo 9

[1] *Abraham Kuyper: A Centennial Reader*, ed. James D. Bratt (Grand Rapids: Eerdmans, 1998), p. 488.

[2] Thomas Sowell, *A Conflict of Visions* (New Delhi: Affiliated East-West Press, 1988). [No Brasil, *Conflito de visões*. São Paulo: É Realizações, 2011.]

[3] C. J. H. Wright, *The Mission of God* (Downers Grove, IL: IVP Academic, 2006). [No Brasil, *A missão de Deus*. São Paulo: Vida Nova, 2014.]

[4] Palestra proferida em uma conferência *Thrive* por Matt Chandler, Epiphany Church, Filadélfia, outubro de 2018.

Conclusão

[1] A. W. Tozer, *The Knowledge of the Holy: The Attributes of God: Their Meaning in the Christian Life* (New York: Walker, 1996), p. 5. [No Brasil, *O conhecimento do santo*. Americana, SP: Impacto, 2018.]

Compartilhe suas impressões de leitura,
mencionando o título da obra, pelo e-mail
opiniao-do-leitor@mundocristao.com.br
ou por nossas redes sociais

Esta obra foi composta com tipografia Palatino
e impressa em papel Ivory Cold 65 g/m² na Geográfica